Arielle Queen
La riposte des elfes noirs

Arielle Queen

La riposte des elfes noirs

 3

Michel J. Lévesque

LES 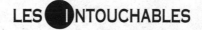 INTOUCHABLES

Les Éditions des Intouchables bénéficient du soutien financier de la SODEC, du Programme de crédits d'impôt du gouvernement du Québec et sont inscrites au Programme de subvention globale du Conseil des Arts du Canada.

Nous reconnaissons l'aide financière du gouvernement du Canada par l'entremise du Programme d'aide au développement de l'industrie de l'édition (PADIÉ) pour nos activités d'édition.

LES ÉDITIONS DES INTOUCHABLES
816, rue Rachel Est
Montréal, Québec
H2J 2H6
Téléphone : 514 526-0770
Télécopieur : 514 529-7780
www.lesintouchables.com

DISTRIBUTION : PROLOGUE
1650, boulevard Lionel-Bertrand
Boisbriand, Québec
J7H 1N7
Téléphone : 450 434-0306
Télécopieur : 450 434-2627

Impression : Transcontinental
Photographie de l'auteur : Pierre Parent
Illustration de la couverture : Boris Stoilov
Conception du logo, de la couverture et infographie :
Geneviève Nadeau

Dépôt légal : 2007
Bibliothèque et Archives nationales du Québec
Bibliothèque nationale du Canada

ISBN-10 : 2-89549-278-6
ISBN-13 : 978-2-89549-278-8

À Dominic, Annick et Tommy

Message à l'humanité de Sylvanelle la quean,

première de la lignée des élues et arrière-petite-fille illégitime d'Erik Thorvaldsson, dit Erik le Rouge

Chers hommes du futur, je m'adresse à vous à travers le temps.

C'est avant l'âge des Vikings, en l'an de grâce 775, que les elfes noirs et les nécromanciens firent alliance pour la première fois avec les kobolds.

Je n'y étais pas, mais les Nornes m'ont permis de le voir en songe.

Cela se produisit peu après que les peuples de l'ombre eurent abandonné grottes, montagnes et forêts pour s'avancer en territoire humain. Nains, gobelins, trolls, ogres et kobolds s'unirent alors pour faire la guerre aux hommes et conquérir les pays du soleil.

Mais il y eut discorde entre les peuples de l'ombre et ceux-ci se firent la guerre entre eux, au lieu de s'attaquer aux humains. Les kobolds, plus nombreux, mais aussi plus rusés, remportèrent la victoire et éliminèrent tous leurs rivaux.

Impressionnés par leur force et leur intelligence, les elfes noirs et les nécromanciens s'allièrent avec les kobolds. Pour sceller cette alliance, les sylphors offrirent leurs plus belles servantes humaines aux kobolds, afin de permettre à leurs meilleurs guerriers de s'accoupler avec elles. C'est ainsi que plusieurs générations plus tard naquit une nouvelle race : la race des serviteurs kobolds. Mi-kobolds, mi-humains, les descendants de cette nouvelle lignée avaient une apparence humaine, mais possédaient la force et la malice des kobolds.

Ils devinrent les plus fidèles serviteurs des elfes noirs. Leur apparence humaine leur permettait de vivre en plein jour, sans être repérés par les véritables humains. Un atout majeur pour les sylphors.

Bientôt, plusieurs jeunes humains de mauvaise réputation voulurent se joindre aux elfes noirs. Mais, pour cela, ils devaient devenir serviteurs kobolds. Un duel était alors organisé entre la recrue humaine et

LE SERVITEUR KOBOLD DÉSIGNÉ PAR LE VOÏVODE DU CLAN. AFIN DE RENOUVELER SES TROUPES, LE VOÏVODE S'ASSURAIT DE CHOISIR UN KOBOLD BLESSÉ OU AFFAIBLI PAR LES ANNÉES. SI L'HUMAIN SORTAIT VAINQUEUR DU COMBAT, IL DEVAIT ACHEVER SON ADVERSAIRE ET MANGER SON CŒUR. UNE FOIS LE CŒUR DU KOBOLD DÉVORÉ, L'HUMAIN HÉRITAIT NON SEULEMENT DE SA NATURE MALÉFIQUE, MAIS AUSSI DE SA PLACE AUPRÈS DES ELFES. SES NOUVEAUX MAÎTRES LE BRÛLAIENT ALORS AU FER ROUGE, POUR MARQUER LEUR DROIT DE PROPRIÉTÉ. CETTE MARQUE, TOUJOURS EN FORME DE POIGNARD, ÉTAIT GÉNÉRALEMENT SITUÉE SUR LES POIGNETS.

IL ARRIVAIT PARFOIS QUE LES MEILLEURS KOBOLDS SE VOIENT ACCORDER L'ÉLÉVATION ELFIQUE, BÉNÉDICTION SACRILÈGE INTERDITE PAR LES ELFES DE LUMIÈRE ET QUI PERMET À UN SYLPHOR DE FAIRE SAUTER UNE CHAÎNE DE L'ÉVOLUTION ET D'ÉLEVER UNE CRÉATURE DE L'OMBRE AU RANG D'ELFE.

POUR UN SERVITEUR KOBOLD, CETTE TRANSFORMATION ÉTAIT CONSIDÉRÉE COMME LA RÉCOMPENSE ULTIME. C'EST AINSI QUE PLUSIEURS HOMMES DEVINRENT SERVITEURS KOBOLDS, PUIS ELFES NOIRS.

CERTAINS FURENT MÊME FAITS VOÏVODES…

SANS DOUTE LES ÊTRES LES PLUS CRUELS QUE L'HISTOIRE AIT JAMAIS CONNUS.

1

Arielle est assise sur une chaise,
entre le lit de sa mère et celui
de son amie Elizabeth.

Cette dernière est éveillée, mais pas Gabrielle.

— Aucun changement? demande Arielle à son amie.

Elizabeth secoue la tête.

— Elle est comme ça depuis son arrivée, ment-elle.

Elle ajoute que les médecins spécialistes se succèdent, mais qu'aucun d'eux n'est en mesure d'expliquer pourquoi Gabrielle est plongée dans un si profond sommeil.

— Et toi, ça va? lui demande Arielle.

Elizabeth répond que oui, ça peut aller. D'ici quelques jours, on l'autorisera même à sortir de l'hôpital. Elle devra y revenir toutes les semaines pour subir différents tests, mais, en général, les médecins sont optimistes: elle sera complètement rétablie d'ici un mois ou deux.

— On a tous hâte de te revoir à l'école, lui confie Arielle.

– C'est gentil, répond Elizabeth. Tu sais, je suis heureuse pour toi que Noah soit revenu.

– On donne une fête ce soir au manoir Bombyx, justement pour célébrer son retour. Si tu savais ce que le médecin de Reivax a dû inventer pour expliquer sa résurrection… Même les médias s'en sont mêlés. Encore cet après-midi, Noah a refusé deux entrevues à la télé.

Arielle adresse un dernier sourire à son amie, puis se lève de sa chaise et s'approche du lit de Gabrielle. Elle pose un baiser sur le front de sa mère et lui murmure à l'oreille qu'elle reviendra la voir demain. L'adolescente prend ensuite son sac à dos et entre dans les toilettes. Elle est vêtue différemment lorsqu'elle en ressort quelques minutes plus tard. Elizabeth reconnaît les vêtements de cuir qu'Arielle portait le soir où Emmanuel a été transformé en statue de pierre, le même soir où les elfes noirs ont été vaincus par les alters au manoir Bombyx.

– C'est ton costume de superhéros? lui demande Elizabeth.

Les vêtements, quoique magnifiques, ne vont pas très bien à Arielle : ils semblent trop ajustés à certains endroits et trop amples à d'autres.

– On peut dire ça, répond Arielle en passant le médaillon en forme de demi-lune à son cou.

Elle enfile son sac à dos et se dirige ensuite vers l'unique fenêtre de la chambre. Après l'avoir ouverte, elle grimpe sur le rebord et s'accroupit de façon à pouvoir se faufiler à l'extérieur.

– Mais qu'est-ce que tu fais? lance Elizabeth. Tu vas quand même pas sauter?

Arielle sourit.

– C'est comme ça que font les superhéros, non?

Une rafale de vent pénètre dans la chambre.

– Arielle…

– T'inquiète pas, Eli, la rassure Arielle alors que le vent fait claquer les pans de son long manteau. Je me suis beaucoup entraînée.

Elle écarte les bras et se laisse tomber dans le vide.

– ARIELLE! NON! s'écrie Elizabeth, paniquée.

Mais il est trop tard: Arielle fonce tout droit vers le sol. Non loin d'elle, le mur extérieur de l'hôpital défile à toute vitesse. À mi-descente, la jeune fille se retourne pour adopter une position de plongée et s'écrie: «Ed Retla! Ed Alter!» La transformation est immédiate; elle retrouve son apparence et ses pouvoirs d'alter une fraction de seconde avant de s'écraser sur l'asphalte du stationnement. Une brusque remontée lui évite le crash. Dans un mouvement gracieux, elle s'envole vers la lune.

Elizabeth a mis ses lunettes et s'est approchée de la fenêtre. D'un air contemplatif, elle observe Arielle qui s'éloigne de l'hôpital. L'adolescente est impressionnée par l'agilité et les pouvoirs de son amie, et ne peut s'empêcher de l'envier. *Quel formidable destin tu as, Arielle Queen!* songe-t-elle avec mélancolie.

– Merci de n'avoir rien dit, déclare la voix de Gabrielle derrière elle.

Elizabeth s'éloigne de la fenêtre et retourne dans son lit.

– Arielle est mon amie, dit-elle. J'aurais dû lui dire que vous alliez mieux.

La mère d'Arielle est toujours étendue sur son lit, mais sa tête est retournée et ses grands yeux pâles sont fixés sur ceux d'Elizabeth.

– Non, tu as bien fait de garder le silence, répond-elle. Pour le bien d'Emmanuel, mon fils. C'est ce soir que nous le libérerons. Toi et moi.

Libérer Emmanuel? se répète Elizabeth. Oui, elle aussi trouve que c'est une bonne idée. Elle a envie de le revoir… même s'il a été monstrueux avec elle. « *C'est ton maître, ton parrain*, déclare une voix dans son esprit. *C'est grâce à lui que tu as été faite kobold. Tu lui dois la vie. À toi de la lui rendre. C'est grâce à ton amour qu'il renaîtra.* »

2

Arielle quitte la ville, puis s'oriente vers le nord, en direction du mont Soleil et de ses complexes touristiques.

Après avoir passé la station de ski, elle survole les forêts du nord et prend la direction du lac Croche. Tout en amorçant sa descente vers le manoir Bombyx, Arielle songe à Noah et à son retour. L'annonce de sa «résurrection» avait causé toute une commotion à Belle-de-Jour. Certains habitants s'étaient réjouis, tout en criant au miracle, tandis que d'autres, inquiets, avaient foncé vers l'hôpital pour demander des comptes au médecin qui avait constaté la mort du garçon quelques jours plus tôt. C'est le même médecin qui, sur l'ordre de Reivax, avait falsifié le rapport médical et avait soutenu qu'aucune autopsie n'était nécessaire.

La foule était amassée devant l'hôpital et avait exigé de parler au médecin. À la demande du directeur, ce dernier s'était finalement adressé aux habitants en colère. Il leur avait juré avoir

17

constaté un arrêt du cœur prolongé chez le jeune homme, en plus d'une absence de pouls et de respiration. Sans parler de la dilatation des pupilles et de la pâleur de la peau des paupières et des lèvres. Le plus étonnant, c'est qu'il avait aussi noté un début de rigidité cadavérique. La foule l'avait hué et avait rétorqué qu'il avait manifestement commis une erreur, puisque le jeune Noah Davidoff était toujours vivant. Le médecin avait continué de prétendre qu'il n'avait rien à se reprocher, mais son plaidoyer avait été bref. En effet, voulant à tout prix éviter d'attirer l'attention sur sa ville (et sur ses alters), le vieux Reivax lui avait fait rapidement comprendre qu'il devait se rétracter : « La dernière chose dont cette ville a besoin, c'est d'un miracle, lui confia le vieil alter en privé. La publicité, c'est très mauvais pour ma santé, docteur… mais encore plus pour la vôtre. » Comme il n'était pas recommandé de décevoir Xavier Vanesse, le médecin n'avait eu d'autre choix que d'accéder à sa requête. Plus tard ce jour-là, il avait convoqué la presse et avait finalement avoué qu'il avait dû faire une erreur.

Tout en revoyant la mine défaite du médecin, Arielle se dit que lorsqu'on s'associe à des gens malintentionnés, on finit toujours par le payer d'une façon ou d'une autre, surtout quand il s'agit de démons venus d'un autre monde. Mais la résurrection de Noah n'a pas fait que des malheureux. Arielle était avec lui quand il s'était présenté chez ses parents. Jamais auparavant elle n'avait assisté à une scène aussi touchante. En apercevant leur fils qui remontait l'allée menant au porche de leur maison, monsieur et madame Davidoff s'étaient précipités à l'extérieur. Ils avaient couru vers Noah, mais ne lui avaient rien dit; ils s'étaient simplement jetés sur lui et l'avaient serré dans leurs bras jusqu'à l'étouffer. De nombreux baisers et accolades avaient été échangés, et de nombreuses larmes avaient coulé. Arielle les avaient observés du trottoir. Ces retrouvailles avaient été si émouvantes qu'elle en avait pleuré elle aussi.

Le vieux Xavier Vanesse (son alter Reivax, en vérité) a offert aux Davidoff d'organiser une grande fête au manoir Bombyx pour célébrer le retour de leur fils prodigue. Mira et Ivan Davidoff ont accepté la proposition de Vanesse, et ce, malgré les protestations de leur fils. «Nous voulons partager notre joie avec les habitants de Belle-de-Jour», a déclaré sa mère en espérant le faire changer d'idée. «Fais-le pour nous, Noah, a ajouté son père. Xavier Vanesse est un ami de la famille, en plus d'être mon patron. Il a fait beaucoup pour nous, et pour toi. Il est très heureux de te revoir lui aussi.» Noah a fini par céder, mais il a fallu pour cela qu'Arielle intervienne: «Allez, accepte. Ça nous donnera l'occasion de faire un peu de repérage au manoir.»

Arielle décrit un cercle au-dessus du manoir avant de réduire encore son altitude. L'esplanade est à peine visible, tellement elle est remplie de voitures. *Tout le gratin de Belle-de-Jour doit être présent, se dit la jeune fille.* Les invités confient leurs véhicules aux bons soins des valets avant de se diriger vers les grands escaliers de marbre qui mènent à la terrasse. Arielle choisit plutôt de se poser dans la cour arrière du manoir, à l'abri des regards. En été, c'est dans les jardins que l'on donne les grandes réceptions. Mais en novembre, la température n'est pas assez clémente.

Dès qu'elle touche le sol, Arielle se réfugie derrière l'une des rangées de cèdres qui bordent le bassin principal, celui-là même qui accueille en son centre l'immense fontaine en forme de papillon. Elle retire ses vêtements d'alter tout en répétant l'incantation magique qui lui permet de passer d'alter à humain, et vice versa : « Ed Retla ! Ed Alter ! » Une fois qu'elle a repris son apparence originale, elle attrape son jean et sa veste dans son sac à dos et les enfile en vitesse. *Me voilà redevenue Arielle, « version petite rouquine »*, songe-t-elle avec regret. Elle s'empresse ensuite de ranger les vêtements de cuir dans son sac et se dirige vers une des entrées du manoir. La porte est surveillée par un couple de gardes. Des alters, à en juger par leur apparence.

– Je suis Arielle Queen, leur dit la jeune fille en s'avançant vers eux.

Les deux gardes alters acquiescent en silence, puis lui ouvrent la porte. Ils ont reconnu l'élue de la prophétie, leur ennemie, mais s'écartent tout de même pour la laisser passer. Plus tôt dans la soirée, Reivax a expliqué à ses hommes que *tous* les habitants de Belle-de-Jour sont les bienvenus ce soir dans sa demeure, y compris les deux élus. « La trêve tient toujours, a-t-il fait savoir à Arielle par l'entremise d'un messager. Tant que je possède l'un des médaillons demi-lunes, Noah et toi ne risquez rien. J'espère donc vous voir tous les deux ce soir.»

Un des gardes accompagne Arielle à l'intérieur du manoir. Il conduit la jeune fille jusqu'à la salle de bal. Celle-ci est bondée d'invités qui entrent et qui sortent par les grandes portes. Les célébrations ont déjà commencé; la musique incessante et le va-et-vient continu des employés de cuisine en font foi. Les serveurs pénètrent dans la salle avec des plateaux remplis d'amuse-gueules ou encore de flûtes à champagne. Lorsqu'ils en ressortent, à peine quelques instants plus tard, leurs plateaux sont vides.

Ce soir, tout Belle-de-Jour s'empiffrera aux frais du maître de Bombyx, se dit Arielle.

Le garde lui indique une petite pièce qui fait face à la salle de bal. Elle comprend qu'elle doit y entrer. L'endroit ressemble à un salon: il y a un canapé ainsi qu'une petite bibliothèque, et une grande armoire en bois qui occupe tout un mur de la pièce. Le garde informe Arielle qu'elle pourra laisser son sac et ses vêtements ici après s'être changée.

– Après m'être changée? répète-t-elle, intriguée.

D'un signe de tête, le garde lui indique l'armoire. La jeune élue s'approche du meuble et en ouvre les deux battants. À l'intérieur de l'armoire, elle découvre une splendide robe de bal et une paire d'escarpins d'un rouge éclatant. *Mais à quoi tu pensais, idiote?* songe-t-elle. *Bien sûr qu'il te faut une robe!*

– C'est pour moi? demande-t-elle, incapable de détacher ses yeux de la robe.

– Reivax a pensé que tu en aurais besoin, répond le garde alter sur un ton neutre.

Sans rien ajouter, l'homme tourne les talons et quitte la pièce. Arielle retire ses vêtements et se dépêche d'enfiler la robe et les escarpins. Elle trouve un miroir derrière l'un des battants et s'y contemple pendant un moment. Son verdict : la robe est superbe, mais un peu longue… et beaucoup trop ajustée à la taille. *Elle ne me va pas très bien*, se dit-elle, *mais je n'ai pas le choix : je ne peux pas entrer dans la salle de bal vêtue d'une veste et d'un jean !*

Soulevant la robe pour ne pas marcher dessus, l'adolescente s'avance vers la porte du petit salon. Elle l'ouvre doucement et regarde à l'extérieur. Il n'y a personne dans le couloir. Mais ça ne durera pas. Arielle doit faire vite. Elle traverse le couloir à petits pas – pas facile de marcher avec ces escarpins ! – et se place tout près des deux grandes portes qui donnent sur la salle de bal. Un domestique ou un invité ne tardera pas à entrer dans la salle ou à en sortir. La jeune fille pourra ainsi jeter un coup d'œil à l'intérieur et voir ce qui s'y passe. Peu de temps après, les portes s'ouvrent et une demi-douzaine d'invités, passablement éméchés, sortent de la salle en s'égosillant. Les portes prennent du temps à se refermer, ce qui permet à Arielle de commencer son inspection. La première chose qui attire son regard, c'est la scène sur laquelle sont installés l'orchestre et le *disc-jockey*. Sous la scène, elle remarque la présence de trois coffres, de la taille d'un homme. Il s'agit de coffres de fonderie :

on coule du métal en fusion à l'intérieur de ces moules pour en faire des objets. Arielle en a déjà vu de semblables lorsqu'elle a visité, avec son école, la fonderie Saturnie. Cette dernière appartient à la famille Vanesse. Les coffres portent d'ailleurs l'emblème de la fonderie : une masse et un marteau disposés en croix, surmontés d'un grand papillon noir aux ailes déployées.

J'étais certaine qu'ils s'en serviraient ce soir, songe Arielle en continuant d'examiner les coffres. *C'est une chance que le père de Noah soit tombé par hasard sur ce bordereau de livraison.*

Dans un coin, elle repère ensuite Jason Thorn, le chevalier fulgur. Depuis leur retour de l'Helheim, Jason vit avec l'oncle Sim et elle. Sim est aussi présent. Il se tient aux côtés du jeune chevalier. Tous les deux sont élégamment vêtus. Arielle note que le regard de Jason est fixé sur Léa Lagacé qui, à l'autre bout de la salle, sirote une boisson gazeuse en compagnie de ses trois copines, les trois clones : Daphné Rivest, Judith Mongeau et Bianca Letarte. Un autre groupe d'invités – des professeurs de son école, constate Arielle – pousse les portes de la salle juste avant qu'elles ne se referment. Leur entrée lui accorde quelques secondes de plus ; elle aperçoit Rose et Émile derrière l'un des buffets, qui s'embrassent discrètement. Il lui faut encore un moment pour trouver Noah, au milieu de la piste de danse. Il est entouré par une dizaine de jeunes filles, toutes plus belles les unes que les autres. Arielle n'a aucune peine à les reconnaître : elles font toutes partie de l'équipe de gymnastique. Selon bien des garçons, ce sont les plus belles filles de l'école – les mieux roulées, en tout cas. Il y a quelques jours encore, Noah passait inaperçu auprès de ces filles. Mais c'était avant son fameux « retour ». Cela a fait de lui une véritable célébrité à Belle-de-Jour. Sa popularité a fait un bond, surtout auprès des filles. *Avant, elles le regardaient à peine,* ronchonne Arielle. *Maintenant, elles sont prêtes à tout pour attirer son attention.* Elle observe Noah et sa bande d'admiratrices une dernière fois avant que les portes ne lui cachent de nouveau la salle de bal. Elle retourne ensuite dans le petit salon, verrouille la porte, et se contemple derechef dans le miroir. Elle a l'impression que la robe lui va encore moins bien que tout à l'heure. *Tu ne peux pas rivaliser avec ces filles,* se dit Arielle en tirant sur l'une de ses boucles rousses et en pinçant les petits bourrelets qui ressortent de sa robe. À force de s'examiner dans la glace, elle finit par ne plus voir que ses défauts : ses taches de rousseur lui semblent encore plus apparentes, ses petites jambes, encore plus petites, et ses gros bras, encore plus gros. Après un moment, elle n'a plus qu'une envie : déchirer la robe et quitter le manoir. Elle s'apprête à le faire lorsqu'elle relève soudain les yeux et voit son médaillon demi-lune. Il est toujours pendu à son cou. L'effet produit avec le décolleté de la robe est magnifique. « Ils vont voir qui est la plus belle fille de la soirée ! » murmure-t-elle avant de répéter, plus résolue que jamais : « Ed Retla ! Ed Alter ! »

C'est avec satisfaction qu'Arielle assiste à sa propre métamorphose. Grâce au miroir, elle peut suivre chacune des étapes de sa transformation. Cela fait naître un sourire sur son visage… son magnifique visage, qui prend rapidement les traits de sa version alter. Son corps se modifie littéralement sous ses yeux. En l'espace de quelques secondes, les formes d'Arielle ont changé : ses bras et ses jambes se sont allongés. Sa taille s'est amincie. Ses cheveux se sont raidis, et ont pris une teinte foncée. Sa peau s'est éclaircie ; elle ne distingue plus aucune tache de rousseur sur son visage, pas plus que sur ses épaules.

Lorsque tout est enfin terminé, Arielle fait un pas en arrière et s'examine de nouveau dans la glace. Elle est splendide. La robe lui va à merveille. Ses cheveux longs et noirs lui tombent sur les épaules. Ses grands yeux brillants et son sourire espiègle illuminent son visage. « *La plus belle alter qui soit…* », déclare une voix dans sa tête. *Sous cette apparence*, se dit Arielle, *pas un garçon ne pourra me résister.*

3

*Arielle quitte le petit salon et
se dirige vers la salle de bal.*

Elle marche d'un pas assuré cette fois, et avec
une étonnante aisance ; les escarpins ne la gênent
plus. Sous sa forme alter, le corps d'Arielle ne
possède pas seulement la beauté et la puissance,
il acquiert également une formidable grâce, dans
tous ses gestes et dans tous ses mouvements.

Les épaules d'Arielle sont dénudées, ce qui
expose sa marque de naissance en forme de
papillon. La pigmentation de sa marque est
différente de celle des autres alters : au lieu d'être
brune, elle est blanche. Cette marque pâle,
combinée au médaillon demi-lune qui brille
sur sa poitrine, confirmera aux autres alters de
Belle-de-Jour qu'elle est bien l'élue de la prophétie. *Mais à cette heure*, se dit Arielle, *les alters
doivent être encore peu nombreux*. Elle a raison :
pour s'éveiller, les alters doivent attendre que leur
personnalité primaire se soit endormie. Comme
la soirée est encore jeune, et qu'aucun habitant de
Belle-de-Jour ne s'est encore mis au lit, il y a peu

de chances pour que les invités présents à la fête soient contrôlés par leur alter. Et encore faut-il qu'ils en aient un. Ce ne sont pas tous les habitants de Belle-de-Jour qui hébergent un «double maléfique». Selon ce qu'en sait Arielle, Rose et Émile n'ont pas d'alter, pas plus que leurs parents respectifs, et c'est aussi le cas de plusieurs autres personnes vivant à Belle-de-Jour: de simples humains, sans histoire, qui s'imaginent habiter une petite ville paisible, au nord du continent, mais qui n'ont pas la moindre idée qu'une fois la nuit venue leur petit sanctuaire se transforme en véritable repaire de démons.

Arielle ouvre les deux portes avec force, comme si elle poussait les battants d'un saloon, et fait une entrée remarquée dans la salle de bal. Toutes les têtes se tournent vers elle. Les invités cessent de parler… on n'entend plus personne. Il n'y a que la musique qui résonne encore dans les haut-parleurs, mais pas pour très longtemps: voyant que tout le monde a arrêté de danser, le *disc-jockey* réduit le volume sur ses consoles.

– Qui est-ce? demande une voix.

– Je ne sais pas, répond une autre. Mais elle est magnifique…

Arielle pénètre dans la salle avec désinvolture. Les gens s'écartent sur son passage, mais sans cesser de la regarder. Ils sont hypnotisés par sa beauté. La jeune fille s'avance lentement vers la piste de danse, tout en examinant les lieux: c'est dans cette salle qu'elle a rencontré ses premiers alters, le soir où les elfes noirs ont attaqué le manoir Bombyx. Arielle lève les yeux et note que les grands vitraux par lesquels les sylphors se sont introduits dans la salle ont été remplacés. Elle se souvient que c'est Noah qui l'a sauvée ce soir-là, en l'aidant à s'échapper du manoir. Plus tard, elle a fui à travers les bois en compagnie d'Emmanuel, jusqu'à ce qu'ils rejoignent le chemin Gleason et la vieille voiture de Saddington.

À la vue de sa magnifique robe rouge, l'orchestre prend le relais du *disc-jockey* et entame une nouvelle chanson: *The Lady in Red* de Chris de Burgh. Les invités hochent la tête, pour montrer qu'ils approuvent l'initiative.

I've never seen you looking so lovely as you did tonight
I've never seen you shine so bright

La musique se fait plus forte à mesure qu'Arielle se rapproche de Noah. La jeune fille a l'impression d'être Cendrillon, au bal, qui s'apprête à retrouver son prince charmant. Le rôle des méchantes sœurs revient aux filles de l'équipe de gym. Elles font obstruction devant Arielle lorsque celle-ci parvient à leur hauteur.

— Qui es-tu? demande l'une d'elles sans cacher son mépris.

— Tu ressembles à Arielle Queen, dit une autre. Mais en beaucoup plus jolie.

Arielle leur adresse son plus beau sourire.

— Je suis sa cousine.

— La cousine d'Arielle? Et c'est quoi, ton nom?

Les gymnastes braquent leurs regards inquisiteurs sur Arielle, dans l'attente d'une réponse. Elles l'obtiennent finalement de Noah :

– Vénus, déclare-t-il derrière elles. Son nom est Vénus.

Noah se faufile entre les jeunes filles et tend sa main à Arielle :

– Tu viens ?

C'est une invitation à danser. Les gymnastes n'arrivent pas à y croire ; elles sont vertes de jalousie. Comment Noah ose-t-il jeter son dévolu sur cette inconnue, alors que chacune d'elles tente de l'appâter depuis une bonne heure déjà ? Certaines manifestent leur colère en secouant la tête, d'autres en serrant les poings, mais toutes doivent se résoudre à accepter le choix du garçon : cette mystérieuse Vénus sera sa cavalière pour ce soir. *Ce n'est que partie remise !* songent les plus déterminées avant de se mettre à la recherche d'un nouveau partenaire.

– Tu es la plus jolie, murmure Noah à l'oreille d'Arielle tout en l'entraînant au rythme de la musique.

The lady in red is dancing with me, cheek to cheek
There's nobody here, it's just you and me

– Regarde les garçons autour de nous, poursuit Noah. En ce moment, ils aimeraient tous être à ma place. Ça se voit dans leur regard. Chacun d'eux se dit : *Quelle fille superbe ! Pourquoi danse-t-elle avec lui et pas avec moi ?*

Arielle balaie la salle du regard et déclare :

— Les filles aussi aimeraient bien que tu sois leur cavalier. Les gymnastes avec qui tu discutais tout à l'heure seraient prêtes à bien des acrobaties pour une seule danse avec toi.

— Il n'y a qu'avec toi que je veux danser, Vénus.

— Je l'espère bien, répond Arielle avec un sourire.

Noah est vêtu d'un élégant smoking noir et porte des chaussures cirées.

— Gracieuseté de Reivax, révèle-t-il. Tout comme ta robe, je suppose. Le vieil alter voulait faire les choses en grand ce soir.

— Il t'a offert des cours de danse, aussi ? demande Arielle en se laissant guider par son cavalier. Je ne m'attendais pas à ce que tu te débrouilles aussi bien.

— Et moi, je ne m'attendais pas à ce que tu te présentes ici sous ta forme alter.

Ce n'est pas un reproche, songe Arielle. *Il s'inquiète pour moi.*

— Des gardes alters sont postés un peu partout dans la salle, continue Noah. Ils n'ont pas cessé de fixer ton médaillon demi-lune.

— Arrête de t'en faire, lui dit Arielle. Tu sais bien qu'on a tout prévu, non ?

Le jeune homme ne peut s'empêcher de jeter un coup d'œil en direction des trois coffres de fonderie qui se trouvent sous la scène.

— C'est tout de même imprudent. Inutile de les provoquer.

— J'avoue, lui concède Arielle, mais je n'ai pas pu résister. Je ne me suis jamais sentie aussi belle, Noah. Depuis que je suis toute petite, j'ai toujours été la petite rousse de service, la petite boulotte sympathique que les garçons ne regardaient jamais. Mais ce soir, j'ai l'impression d'être la reine de la soirée. Tu comprends ce que ça veut dire pour moi?

Noah acquiesce:

— Bien sûr. Mais rappelle-toi qu'à mes yeux tu seras toujours la plus belle, sous cette forme ou sous une autre.

Tous les deux continuent de danser sur la musique de Chris de Burgh. Les autres invités ont formé un cercle autour du couple; ils les observent en silence, sans bouger. Cherchant à briser l'envoûtement général, Rose, l'amie d'Arielle, force son copain Émile à la suivre sur la piste de danse. L'oncle Sim comprend ce que Rose essaie de faire et invite Juliette, sa femme de ménage, à danser. Par effet d'entraînement, d'autres couples se joignent à eux. Bientôt, la piste de danse se remplit de danseurs, et les deux élus peuvent enfin profiter d'un moment d'intimité.

— Suis-moi! dit Arielle en prenant Noah par la main.

4

*Pendant ce temps, à l'hôpital de
Belle-de-Jour...*

Une fois que l'infirmière de garde a quitté la
chambre, Gabrielle sort à nouveau de son faux
coma et s'adresse à Elizabeth :

– Aide-moi à retirer tous ces trucs ! lance-
t-elle en faisant allusion au cathéter qui est planté
dans son bras ainsi qu'aux capteurs qui la relient
au moniteur cardiaque et au tensiomètre.

Elizabeth demeure dans son lit. Quelque
chose lui dit que ce serait une erreur d'aider cette
femme. Il y a quelque chose de maléfique en elle,
quelque chose qui n'est pas humain.

« *Le sang des premiers kobolds coule dans tes
veines, Elizabeth,* lui assure une voix. *Ton rôle est
de servir les elfes noirs et les nécromanciennes de
la caste des Sordes. Dorénavant, tu fais partie des
forces de l'ombre. Arielle Queen est ton ennemie,
tout comme Noah Davidoff et les chevaliers
fulgurs.* »

– Je t'ordonne de m'aider, jeune fille ! exige
cette fois la mère d'Arielle. C'est ton destin !

Après avoir hésité un moment, Elizabeth bondit de son lit et obéit à Gabrielle. Mais elle n'agit pas de sa propre initiative ; une force mystérieuse l'oblige à se soumettre à la volonté de cette femme. *Quelque chose est en train de changer en moi*, songe-t-elle.

Dès qu'elle est débarrassée des fils et des tubes qui la retenaient à son lit, Gabrielle demande à Elizabeth de l'aider à se relever. Une fois encore, l'adolescente consent à lui obéir.

— Nous devons nous rendre au manoir Bombyx, déclare Gabrielle tout en marchant vers la penderie où sont rangés ses vêtements.

Elle récupère rapidement pour quelqu'un qui a passé les vingt-quatre dernières heures étendue dans un lit, se dit Elizabeth.

— C'est là-bas qu'ils retiennent mon fils.

— Pourquoi voulez-vous délivrer Emmanuel ? demande Elizabeth en enfilant elle aussi ses vêtements. Il va certainement faire du mal à Arielle.

Gabrielle secoue la tête.

— C'est Arielle qui souhaite nous faire du mal à tous. Souviens-t'en.

Il y a quelques instants à peine, Elizabeth croyait encore qu'Arielle était sa meilleure amie. À présent, elle ne sait plus. La même force occulte qui l'a obligée plus tôt à se plier aux ordres de Gabrielle lui impose maintenant des visions douloureuses. Des visions dans lesquelles Arielle la maltraite et se moque d'elle : « *Je n'ai jamais été ton amie, Elizabeth*, déclare Arielle dans un ricanement, tout en la bousculant. *Pourquoi je* fréquenterais une fille aussi ennuyeuse et moche que toi ? Tu es tellement laide que tu effraies tous les garçons de l'école. Noah m'a juré qu'il ne m'adresserait plus la parole si je continuais à te traîner partout avec moi. Je n'ai pas le choix, Eli : il est temps de te trouver une autre copine, quelqu'un qui soit aussi pitoyable que toi ! »

Elizabeth ne peut retenir ses larmes. Elle couvre son visage de ses mains : *Pourquoi dis-tu ça, Arielle ? Pourquoi es-tu si méchante ?* Mais Gabrielle ne lui laisse pas le temps de s'apitoyer sur son sort. Elle l'agrippe par les épaules et la secoue.

– Mais reprends-toi, idiote ! lui ordonne-t-elle sur un ton exaspéré. Mon fils a besoin de toi. Il t'aime, lui, contrairement à Arielle.

– Emmanuel m'aime ? répète Elizabeth en reprenant soudain espoir.

Gabrielle acquiesce :

– Bien sûr qu'il t'aime. Il t'a toujours aimée.

Quelque part en elle, Elizabeth sait que c'est faux, mais elle préfère croire les paroles rassurantes de Gabrielle.

– Viens, il faut partir maintenant, dit cette dernière.

La mère d'Arielle entraîne Elizabeth vers la fenêtre de leur chambre, plutôt que de la diriger vers la porte. Tout en s'approchant de l'ouverture, la jeune fille se souvient que c'est par cette même fenêtre qu'Arielle a quitté l'hôpital un peu plus tôt. Elle a envié son amie à ce moment-là. Elle l'a enviée de posséder de si grands pouvoirs, mais aussi d'avoir hérité d'un si beau destin.

— On va sauter et s'envoler ? demande Eliza-beth avec enthousiasme.

— Non, répond sèchement Gabrielle. Voler, c'est bon pour les alters et les elfes. Les nécro-manciens, eux, voyagent différemment.

— Vous… vous êtes une nécromancienne ? Comme l'était Saddington ?

Gabrielle fait signe que oui.

— Les sylphors et les Sordes savaient qu'un jour Arielle apprendrait mon existence. Ils ont choisi de m'initier aux rituels funestes et de faire de moi une nécromancienne avant que ma fille ne vienne me délivrer. Je les en remercie. Doré-navant, les nécromanciennes sont mes sœurs, et les sylphors, mes alliés.

— Et Arielle ?…

— Arielle est mon ennemie. Et c'est aussi la tienne.

— C'est votre fille. Elle vous a délivrée de votre prison, et vous a permis d'échapper aux elfes.

— Tout ça était prévu. Si on m'a faite nécro-mancienne, c'était pour la piéger.

— Mais elle vous aime…

— Tant mieux. Ainsi, il sera plus facile de la manipuler. Peut-être décidera-t-elle un jour d'imiter son frère et sa mère, et de rejoindre les forces de l'ombre. Tout comme toi.

Elizabeth secoue vigoureusement la tête.

— J'ai cessé d'être un serviteur kobold, affirme-t-elle.

— Ma pauvre ! lance Gabrielle en éclatant de rire. On ne cesse jamais d'être kobold ! Jamais ! Allez, on a assez perdu de temps maintenant.

Tu veux savoir comment les nécromanciennes se déplacent? Eh bien, de la même façon que les autres mortels: en avion ou en voiture, la plupart du temps. Je dis «la plupart du temps», car certaines d'entre nous ont un pouvoir spécial qui leur permet de se téléporter sur de petites distances. Heureusement pour nous, c'est un don que je possède.

Sans plus attendre, Gabrielle enlace Elizabeth et récite une incantation dans une langue étrangère: «*Alio viaticas locas!*» En une fraction de seconde, les corps des deux femmes se décomposent en millions de particules. Les particules, éparpillées, quittent la chambre et se regroupent à l'extérieur de l'hôpital, dans le stationnement, où elles reforment les corps d'Elizabeth et de Gabrielle. Dans l'esprit des deux femmes, un battement de cils a suffi pour que le décor de la chambre soit remplacé par celui du stationnement.

— Tu as une préférence pour les voitures? demande Gabrielle en balayant du regard toutes celles qui se trouvent dans le stationnement.

Elizabeth hausse les épaules.

— Moi, j'aime bien les Mustang, dit la mère d'Arielle.

Elle récite de nouveau l'incantation et toutes les deux se retrouvent à bord d'une Mustang noire de l'année, garée à l'autre bout du stationnement.

— Elle appartient sans doute à un médecin, affirme Gabrielle en posant son index sur le démarreur.

Une petite lumière blanche surgit du bout de son doigt et pénètre à l'intérieur du démarreur.

Le moteur de la Mustang vrombit aussitôt. Gabrielle passe en première et appuie sur l'accélérateur pendant qu'Elizabeth s'empresse de boucler sa ceinture. Après avoir quitté le stationnement, la nécromancienne roule en direction du nord. Une fois sortie de la ville, elle prend le virage du chemin Gleason sur les chapeaux de roues.

– Manoir Bombyx, nous voilà! s'écrie-t-elle en poussant à fond le moteur de la Mustang.

5

*D'un pas rapide, Arielle et Noah
se faufilent entre les danseurs et
quittent la piste de danse.*

– Par ici ! dit la jeune fille.

Elle dirige son compagnon vers la sortie.

– Où m'emmènes-tu ? demande Noah.

– Tu le verras bien assez tôt, répond Arielle qui ne peut réprimer un rire.

Tout juste avant de franchir les portes de la salle, les deux élus aperçoivent Jason qui discute avec Léa Lagacé.

– Tu lui as demandé de veiller sur elle ? demande Noah.

– Jason s'est lui-même proposé. Oncle Sim pense que c'est ce soir que Reivax punira Ael.

Le vieil alter ne digère toujours pas qu'Ael n'ait pas réussi à ramener Nomis de l'Helheim, comme il le lui avait demandé, explique Arielle. Aussi, dès que Léa trouvera le sommeil et qu'elle cédera sa place à son alter, il la fera conduire dans les caves du manoir et la fera torturer.

– Du temps où je le côtoyais, Reivax a fait torturer bien des alters, déclare Noah, mais jamais jusqu'à la mort.

– C'est censé me rassurer? lance Arielle.

– Depuis quand t'inquiètes-tu pour Ael?

– Depuis qu'elle nous a aidés.

– Aidé? Tu trouves pas que t'exagères un peu? Ael est un démon alter, lui rappelle Noah. Elle n'agit qu'en fonction de ses propres intérêts.

– J'y peux rien, répond Arielle. Quelque chose me dit qu'à un moment ou à un autre nous aurons besoin d'elle.

Les deux jeunes gens sortent de la salle de bal et s'avancent dans le couloir. Une fois qu'ils ont atteint le petit salon, Arielle ouvre la porte et pousse Noah à l'intérieur. Après avoir refermé et verrouillé la porte, elle s'installe sur le canapé et indique à son ami qu'il y a une place libre à ses côtés, qui ne demande qu'à être occupée.

– Enfin seuls, soupire Noah en s'assoyant auprès d'elle.

– C'est quoi ça? lui demande Arielle en voyant un bout de papier rouge qui dépasse de son smoking.

Le jeune homme plonge la main à l'intérieur de son veston et en sort une enveloppe d'un rouge écarlate. Arielle la reconnaît. C'est l'enveloppe que Jason a donnée à Noah peu après leur retour de l'Helheim, celle où il est inscrit: POUR NOAH D. À OUVRIR AU LEVER DU JOUR, LE 13 NOVEMBRE 2006.

– Je la garde sur moi, dit Noah en remettant l'enveloppe dans la poche intérieure de son veston. Le 13 novembre, c'est demain.

Les deux élus se rapprochent l'un de l'autre. Après avoir échangé des regards chargés de tendresse, ils finissent par joindre leurs lèvres. Ils s'embrassent doucement au début, puis avec de plus en plus d'intensité.

– Tu m'as manqué aujourd'hui, murmure Arielle.

– Vraiment? répond Noah.

Une bulle s'est formée autour d'Arielle Queen et de Noah Davidoff. Le reste du monde n'existe plus. Il n'y a plus qu'eux maintenant, qui s'embrassent sur ce canapé, ne pensant à rien d'autre qu'à l'attirance qu'ils éprouvent l'un pour l'autre. Pour eux, le temps s'est arrêté.

Ils ne savent pas combien de temps s'est écoulé lorsqu'ils entendent le premier bruit d'explosion, suivi des premiers cris.

– Qu'est-ce qui se passe? demande Arielle.

S'enchaînent rapidement d'autres explosions, puis d'autres cris.

– On dirait que ça vient de la salle de bal, fait Noah.

La dernière explosion vient de plus près, cette fois. Sans doute s'est-elle produite dans le couloir. Une fumée blanche apparaît aussitôt sous la porte et s'infiltre dans la pièce.

– Il y a le feu, dit Arielle.

– Non, déclare Noah en se levant. C'est du gaz soporifique.

– Du gaz soporifique?

41

— Reivax s'en sert lorsqu'il souhaite endormir les personnalités primaires… et éveiller leurs alters.

Éveiller leurs alters? songe Arielle. *Mais dans quel but?*

— Cette soirée, c'était bien un piège, affirme Noah.

Il agrippe le tapis qui se trouve devant le canapé et le plaque au bas de la porte

— Il faut empêcher le gaz d'entrer!

Malgré leurs efforts, le gaz parvient tout de même à s'infiltrer dans la pièce. Noah examine le petit salon à la recherche d'une issue. Il n'y en a aucune.

— On ne pourra pas y échapper, annonce-t-il, impuissant.

Ils retiennent leur souffle pendant un moment, mais finissent par céder; l'air vicié pénètre dans leurs poumons. Dès qu'elle respire le gaz, Arielle sent la fatigue qui la gagne. Elle est prise d'étourdissements et doit s'appuyer contre un mur pour ne pas tomber. Bientôt, elle ne pourra plus se tenir sur ses jambes. Noah semble tout aussi mal en point. Il tend la main vers Arielle et l'aide à se rendre jusqu'au canapé avant de s'effondrer à ses côtés. Les deux élus échangent un dernier regard avant de fermer les yeux et de perdre conscience.

Arielle reconnaît la sensation pour l'avoir déjà ressentie auparavant. Elle a été transportée

ailleurs. Un ailleurs qui se situe non seulement dans un autre lieu, mais aussi à une autre époque. Juste avant d'ouvrir les yeux, une voix inconnue lui révèle qu'elle se trouve aux États-Unis, en 1843, au temps de la conquête de l'Ouest. Elle a été transportée là-bas de la même façon qu'elle a été transportée à Berlin en 1945 pour y rencontrer sa grand-mère, puis en 1627, à La Rochelle, pour y faire la connaissance d'Annabelle Queen. Laquelle de ses ancêtres rencontrera-t-elle cette fois ?

Ce sont les coups de feu répétés qui forcent Arielle à s'éveiller dans cette nouvelle réalité. La première chose qu'elle remarque, c'est qu'il fait nuit. Au-dessus d'elle, dans un ciel noir, brillent la lune et les étoiles. La jeune fille est assise par terre, le dos appuyé contre une grande roue, laquelle est fixée à un chariot bâché. Il y a plusieurs autres chariots du même type. Ils sont tous disposés en cercle, comme dans les westerns, de façon à former une barricade autour des hommes et du bétail qui se trouvent au centre. Arielle se dit qu'elle a sans doute rejoint un convoi de pionniers qui fait route vers l'Ouest.

Les coups de feu se multiplient. Des cow-boys armés de revolvers et de carabines sont postés à divers endroits dans le cercle. Abrités derrière les chariots, ils tirent chacun leur tour, en direction d'un ennemi invisible. *Contre qui se défendent-ils ?* se demande Arielle. *Brigands ou Indiens ?*

Elle aperçoit soudain un jeune cow-boy qui fonce vers elle. Revolver en main, il exécute une roulade sur le sol, puis prend position derrière l'autre roue du chariot. Après avoir tiré deux fois vers l'extérieur du cercle, il s'accroupit derrière la roue et se tourne vers Arielle.

– Bienvenue sur la piste de l'Oregon, ma chérie ! lui lance-t-il.

Le cow-boy a une voix de femme. Il retire son Stetson et laisse tomber ses longs cheveux sur ses épaules. Le jeune cow-boy est en fait une jeune « cow-girl » et elle a les traits d'une Queen.

– Je suis Jezabelle, dit-elle. Mais tout le monde m'appelle Jez.

Les balles continuent de siffler autour d'elles. Jez se lève, tire deux coups de feu avec ses revolvers, puis retourne s'asseoir sur ses talons.

– Tu es Arielle, c'est bien ça ? Heureuse de faire ta connaissance.

– Qu'est-ce qui se passe ici ? demande Arielle. Vous êtes attaqués par des Indiens ?

Jez se met à rire.

– Par des Indiens ? Non. Nous sommes cernés par les elfes noirs et les kobolds.

Des elfes noirs ? songe Arielle. *Au Far West ?*

– Nous sommes tombés sur une de leurs patrouilles alors que nous longions le fleuve Columbia, explique Jez. Nous avons tout juste eu le temps de disposer les chariots en cercle avant que leur cavalerie nous tombe dessus.

Arielle remarque qu'un autre cow-boy accourt dans leur direction. Il fait feu à plusieurs reprises avant de s'agenouiller auprès de Jez.

– Ça va, ma belle ? lui demande-t-il en posant un baiser sur sa joue.

Le jeune homme ressemble à Noah. Sans doute s'agit-il de son ancêtre. Il salue Arielle en soulevant son chapeau.

– Freddy Davidoff, se présente-t-il. Alors, on se débrouille bien ici?

– Pas si mal, répond Jez. Et vous, de l'autre côté?

Une salve provenant de l'extérieur du cercle les force un instant à baisser la tête.

– On tient le coup, déclare Freddy, mais faudra bientôt demander aux fulgurs d'utiliser leurs marteaux.

Arielle jette alors un coup d'œil aux cowboys qui sont postés derrière les autres chariots. Ils tiennent bien des revolvers et des carabines, mais des étuis de cuir attachés à leur ceinturon dépassent des marteaux mjölnirs, pareils à ceux de Jason Thorn.

– Ces hommes sont des chevaliers fulgurs? demande Arielle.

Jez hoche la tête.

– Sans eux, nous ne serions jamais arrivés jusqu'ici, dit-elle. Ce sont nos anges gardiens. Ils nous ont aidés à combattre les elfes noirs à Fort Laramie et les alters à Chimney Rock.

– Ces gars-là sont les meilleurs chasseurs de démons du monde, ajoute Freddy. Ils luttent contre les elfes et les alters depuis qu'ils ont appris leur existence. Au Moyen Âge, on les appelait les cénobites de la fraternité de Mjölnir. Ce sont les plus fidèles alliés des élus, Arielle.

– Pourquoi vous ont-ils accompagnés jusqu'ici?

Le tir ennemi s'intensifie. Le bois du chariot et des roues derrière lesquelles Arielle et ses compagnons sont cachés vole en éclats lorsqu'il est atteint par les projectiles.

– Le Canyon sombre est tout près, explique Jez entre deux salves. C'est le nom que les sylphors ont donné à leur repaire d'Amérique. Notre guide est le seul à savoir comment s'y rendre. C'est un fulgur nommé John Thorn.

John Thorn ? Est-il possible que cet homme soit l'ancêtre de Jason ?

– Thorn croit que c'est là-bas que les elfes gardent le *vade-mecum* des Queen, poursuit Jez.

Arielle se souvient de ce que lui a dit Annabelle à propos du *vade-mecum* : « *Il contient tout ce que tu dois savoir au sujet de notre lignée et de la prophétie. Il te permettra aussi d'invoquer tes ancêtres en cas de besoin. Si tu es en possession du livre et que tu prononces le nom d'une Queen, celle-ci se matérialisera auprès de toi et pourra t'assister pendant quelque temps.* » Plus tard, Jason Thorn a confié à Arielle que les elfes noirs conservaient le *vade-mecum* dans une chambre secrète du Canyon sombre. Le jeune chevalier a ajouté qu'il serait très difficile de le récupérer, le Canyon sombre étant la forteresse sylphore la mieux protégée du Nouveau Monde.

– C'est là-bas que le *vade-mecum* se trouvait en 1945, leur dit Arielle, et, apparemment, il y est toujours en 2006.

Jez et Freddy prennent un air songeur.

– Tu en es certaine ? demande Freddy.

– Cette information me vient d'un chevalier fulgur.

– Alors, nous échouerons dans notre mission, soupire Jez en baissant la tête. Si le *vade-mecum* se trouve toujours dans le Canyon sombre à ton époque, ça signifie que nous ne pourrons pas le récupérer à la nôtre. Il demeurera là-bas pendant encore un siècle et demi.

Jez fixe son regard sur celui de sa descendante.

– Ça sera donc à toi de le récupérer. C'est essentiel à ta victoire. Grâce à ce livre, tu pourras vaincre des armées entières. Mais ce ne sera pas facile, Arielle. On dit que le *vade-mecum* est gardé dans un coffre-fort, et aussi qu'il est protégé par un puissant champ de force.

Arielle s'apprête à ajouter quelque chose lorsqu'une flèche argentée se faufile entre les rayons de la roue et vient se planter dans l'épaule de Freddy. Celui-ci hurle de douleur.

– Freddy! s'écrie aussitôt Jez. Oh! non! Freddy!

Avec l'aide de Jez, Freddy parvient à retirer la flèche de son épaule et la jette par terre.

– Les sylphors utilisent leurs flèches elfiques! déclare-t-il en grimaçant de douleur. Ils ne tarderont pas à charger.

Une pluie de flèches s'abat alors sur les chariots, blessant plusieurs chevaliers fulgurs.

– Il y aura une seconde volée de flèches, dit Freddy, puis ils attaqueront. C'est comme ça qu'ils procèdent généralement. Préparez-vous à les accueillir.

Jez hoche la tête en silence, puis rengaine ses revolvers.

– Ces nouveaux colts six coups sont diablement efficaces, lance-t-elle à Arielle, mais, pour les combats rapprochés, nous préférons utiliser des armes plus conventionnelles.

Elle glisse une main sous le chariot et saisit deux objets qui y étaient dissimulés. Ceux-ci semblent lourds et ont une forme allongée. Jez en donne un à Freddy et conserve l'autre. Dès que les fourreaux de cuir sont retirés et que les lames bleutées brillent dans la nuit, Arielle a la confirmation qu'il s'agit bien d'épées fantômes.

– Qu'ils s'amènent avec leurs satanées flèches elfiques ! s'exclame Jez en brandissant son épée.

De son bras valide, Freddy lève aussi la sienne.

– Il est temps pour les fulgurs de sortir leurs marteaux ! annonce-t-il. Chevaliers ! ordonne haut et fort le jeune homme. À vos mjölnirs !

Les chevaliers fulgurs abandonnent revolvers et carabines et portent leurs mains aux étuis qui pendent le long de leurs cuisses. D'un mouvement rapide, ils saisissent leurs marteaux, qu'ils font ensuite tournoyer habilement entre leurs doigts. Ils sont prêts.

Ainsi que Freddy l'a annoncé, la deuxième volée de flèches s'abat au centre du cercle formé par les chariots. Des bruits de chevaux au galop et des cris de charge se font entendre à l'extérieur.

– Ils se rapprochent, dit Freddy en essayant de se mettre debout.

Jez lui donne un coup de main. Arielle se lève aussi. Elle examine ses mains. Elles sont vides ; elle n'est pas armée. Comment fera-t-elle pour se battre contre les elfes ?

– Jez, j'ai besoin d'une arme.

– Tu n'auras pas à te battre, répond Jez. Les Nornes de l'Asgard te ramèneront bientôt chez toi.

– Mais je veux rester ! proteste Arielle. Je veux vous aider !

– Tu nous aideras en quittant cet endroit et cette époque. Le combat d'aujourd'hui n'est pas celui d'Arielle et de Noah, c'est celui de Jez et de Freddy. Pendant un temps, j'ai cru que Freddy et moi étions le couple d'élus qui mettraient enfin un terme au règne des elfes et des alters. Mais je me suis trompée. La victoire n'aura pas lieu à notre époque mais à la tienne. N'oublie pas : dès que tu le pourras, tu devras aller récupérer le *vade-mecum* des Queen dans le Canyon sombre.

La vision d'Arielle commence à s'embrouiller et elle se sent plus légère. Elle va bientôt partir.

– Autre chose, poursuit Jez. Le *Livre d'Amon*, qui relate la prophétie, a un verset manquant appelé « Révélation ». Tous les élus à travers les âges ont essayé de le retrouver, mais aucun d'eux n'y est jamais parvenu. On dit que ce verset complète la prophétie, et qu'il aidera les élus à identifier le Traître.

– Le Traître ?

– Amon prédit dans ce texte qu'un proche des élus les trahira au moment de la victoire finale et que cette trahison aura de graves conséquences.

Les cavaliers sylphors ont atteint la barrière formée par les chariots. Les premiers elfes sautent en bas de leur monture et ouvrent une brèche en éloignant l'un de l'autre deux des chariots les moins bien protégés. La deuxième vague de cavaliers s'introduit dans le cercle par cette ouverture. Arcs et flèches bien en main, les sylphors visent surtout les chevaliers fulgurs, n'ayant pas encore remarqué la présence des deux élus. *Ce sont bien des sylphors*, se dit Arielle en suivant leur progression. Elle reconnaît leurs oreilles pointues et leur crâne chauve. Leur peau blême luit sous les rayons de la lune.

Les chevaliers fulgurs contre-attaquent en lançant leurs marteaux, mais les elfes sont beaucoup plus nombreux et décochent beaucoup trop de flèches pour que les mjölnirs aient le temps de toutes les intercepter. Les flèches elfiques atteignent les chevaliers aux épaules et aux cuisses, mais aussi au thorax et l'abdomen. Même blessés mortellement, certains chevaliers s'efforcent de rester debout et de poursuivre la lutte. Jez et Freddy se jettent à leur tour dans la mêlée, avec l'espoir que les elfes cesseront de s'acharner sur les fulgurs et dirigeront leur attaque contre eux.

Arielle souhaiterait faire quelque chose pour les aider, mais elle n'arrive plus à bouger. Elle se sent envahie par une grande fatigue, contre laquelle elle ne peut lutter. Malgré ses efforts pour rester éveillée, la jeune fille ferme les yeux et finit par s'endormir. La dernière image qu'elle gardera de cette rencontre sera celle du massacre des chevaliers fulgurs par les elfes noirs.

Elle se souviendra aussi des deux élus se portant à la défense de leurs compagnons… avec l'énergie du désespoir.

Il faut peu de temps à Arielle pour réintégrer à la fois son corps et son époque. Elle sent qu'elle habite de nouveau une enveloppe charnelle, la sienne. Ce n'est toutefois pas le sang qui recommence à circuler dans ses membres ni son cœur qui recommence à battre qui lui font réaliser qu'elle a repris contact avec la réalité, mais une chaleur qui se répand sur sa bouche. Sur ses lèvres, plus précisément. Une chaleur agréable, douce. On est en train de l'embrasser.

– Noah, murmure-t-elle.

Les lèvres de son compagnon se font plus insistantes sur les siennes. Le baiser est agréable, mais différent de ceux de Noah. Il est plus appuyé, plus vigoureux. Arielle ouvre les yeux et constate que Noah a pris sa forme alter. Ses traits sont plus fins et ses cheveux sont plus sombres que ceux du Noah original. Il est plus costaud aussi, ce qui le fait paraître plus âgé. *Le gaz soporifique lui a fait perdre conscience*, se dit l'adolescente. *Il s'est donc endormi, tout comme moi.*

Mais s'il s'est endormi, ça signifie aussi qu'il a été remplacé par… son alter! Un alter qu'il ne peut pas contrôler, puisqu'il ne porte plus son médaillon demi-lune!

– Razan! s'écrie Arielle en réalisant que ce n'est pas Noah qui est en train de l'embrasser, mais son alter.

Elle repousse le démon avec force, assez pour l'éloigner. Razan se met à rire.

– Mmm… tu embrasses drôlement bien, princesse, lance-t-il dans un ricanement, tout en s'humectant les lèvres.

– Pourquoi tu as fait ça? lui demande Arielle, rageuse.

– Pour célébrer mon retour à la vie. Et pour ça, rien de mieux que d'embrasser une jolie fille!

– Laisse la place à Noah! Laisse-le revenir!

Razan secoue lentement la tête.

– Pas question. De toute façon, même si je le voulais, j'en serais incapable. Il n'y a que le médaillon ou le lever du soleil qui te ramènera ton prince charmant.

Arielle lève les poings et s'apprête à frapper l'alter, mais celui-ci l'agrippe par les poignets et l'oblige à interrompre son mouvement.

– Du calme, princesse, lui dit Razan. Pourquoi veux-tu me frapper? Tu ne trouves pas qu'une seule cicatrice suffit sur ce beau visage?

– Lâche-moi!

– Si tu promets de ne pas me sauter à la gorge.

– Lâche-moi, j'ai dit!

– D'accord, mais avant, tu dois promettre.

– Je ne promets rien du tout!

– Tant pis alors, répond Razan. J'ai tout mon temps.

Arielle tente d'échapper à sa prise, en vain.

– Tes poignets te font mal? Je serre trop fort peut-être?

La porte du petit salon s'ouvre brusquement et un groupe d'alters en uniforme s'introduit dans la pièce. Parmi eux, Arielle reconnaît les alters d'Olivier Gignac et de William Louis-Seize, les anciens copains de Simon Vanesse, ainsi que ceux de Dorothée-sans-pitié, la prof de maths, et de monsieur Martin, le postier. Tous dégainent rapidement leurs épées fantômes et les pointent en direction d'Arielle et de Razan.

Le gaz a endormi tous les invités présents à la fête, songe Arielle. *Ceux qui possèdent un alter ont été remplacés par leur double maléfique.*

– Debout! ordonne l'alter de Dorothée-sans-pitié.

L'ordre s'adresse autant à Arielle qu'à Razan. Usant de leurs épées, les alters leur font comprendre qu'ils ont intérêt à obéir. Razan libère les poignets d'Arielle et se lève lentement. Il ne semble pas comprendre pourquoi les alters manifestent de l'hostilité à son égard.

– Hé! les gars, je suis de la maison!…

– Ferme-la, toi! rétorque aussitôt l'alter de monsieur Martin.

Mais, au lieu de se taire, Razan choisit plutôt d'insister:

– C'est moi, Razan! Vous ne me reconnaissez pas?

Les propos du jeune alter n'ont aucun effet sur ses semblables.

– Emmenez-le dans la salle de bal! aboie l'alter de Dorothée-sans-pitié.

Après avoir rengainé leurs épées, les alters d'Olivier Gignac et de William Louis-Seize s'emparent de Razan et le forcent à les suivre à l'extérieur du petit salon.

– Charmant accueil! maugrée Razan. Je reviens du royaume des morts, et c'est à ça que j'ai droit?

Dès que les autres sont sortis, les alters de Dorothée-sans-pitié et de monsieur Martin s'avancent vers Arielle en prenant un air menaçant.

– À ton tour maintenant, Cendrillon, lui dit l'alter de la prof de maths.

Arielle ne s'est pas levée. Elle est toujours assise sur le canapé.

– Pourquoi je vous suivrais? demande-t-elle. Vous savez tous les deux que je suis plus puissante que vous. Je pourrais vous mettre K.-O. d'un seul coup de poing.

– C'est vrai, répond l'alter de Dorothée-sans-pitié. Mais alors Reivax serait dans l'obligation de faire du mal à ton oncle Sim et à tes autres petits copains. C'est ce que tu veux?

Arielle se lève d'un bond. D'un mouvement rapide, elle agrippe les mains des deux alters, celles qui tiennent les épées fantômes, et les soumet à une violente torsion. Les deux démons n'ont d'autre choix que de laisser tomber leurs armes.

– Que leur avez-vous fait? lance Arielle sans lâcher prise.

Un mélange pervers d'amusement et de douleur se lit sur les traits des deux alters.

– Pour le savoir, tu devras nous suivre, réplique l'alter du postier.

– Dépêche-toi de prendre ta décision, ajoute l'alter de Dorothée-sans-pitié, avant qu'il ne soit trop tard. Reivax n'est pas un homme patient!

Arielle ne leur fait pas confiance, c'est vrai, mais il est tout de même possible qu'ils disent la vérité. Elle ne peut prendre le risque de mettre la vie de son oncle et de ses amis en péril. Après un moment d'hésitation, elle finit par libérer les deux démons.

– Excellente décision, déclare l'alter de Dorothée-sans-pitié tout en se massant la main. Il faut y aller maintenant. Tout le monde nous attend dans la salle de bal... pour continuer la fête.

À contrecœur, l'élue accompagne les deux alters à l'extérieur du petit salon. Tous les trois marchent en direction de la salle de bal. Ils s'arrêtent devant les deux grandes portes.

Arielle n'a aucune idée de ce qui l'attend de l'autre côté.

6

*La Mustang roule à toute allure
sur le chemin Gleason.*

— Notre mission est de délivrer mon fils, Mastermyr, explique Gabrielle tout en conduisant la voiture. Il est le nouveau voïvode du Nouveau Monde. Une fois Mastermyr libéré, nous devrons nous rendre au Canyon sombre pour y récupérer le *vade-mecum* des Queen. Le livre magique devra ensuite être remis au seigneur Lothar, à sa propre demande.

— Qui est Lothar?

— Notre commandant en chef. Il est né d'un elfe et d'une nécromancienne. C'est le plus puissant d'entre nous. Il appartient à la lignée d'Ithral, le premier elfe noir à avoir défié Loki. Certains racontent que les deux fils d'Ithral, Salkonir et Pasterfal, auraient connu Sylvanelle la quean et Mikita, fils de David le Slave, les premiers élus de la prophétie.

— Lothar vit avec les autres elfes de l'Ancien Monde, en Europe? demande Elizabeth.

– Plus pour très longtemps, répond Gabrielle. Il sera bientôt parmi nous. Tu devras lui faire serment d'allégeance, c'est ton maître à toi aussi.

Elizabeth est soulagée de voir enfin apparaître le lac Croche à l'horizon. Cette folle randonnée depuis Belle-de-Jour ne lui a pas plu : la nécromancienne conduit beaucoup trop vite, et de façon imprudente.

– Ne sois pas si craintive, réplique Gabrielle lorsque Elizabeth lui reproche sa témérité.

Et en souriant, elle ajoute :

– Ne sais-tu pas que la peur est étrangère aux kobolds ?

Elizabeth observe un moment les marques de brûlures sur le visage de Gabrielle. La mère d'Arielle a hérité de ces blessures le jour où elle a fui les elfes noirs en compagnie de sa fille, encore bébé, et de l'oncle Sim. Elle n'a pu échapper à leur véhicule en flammes, contrairement à Arielle et à Sim. *Les marques n'enlaidissent pas son visage*, se dit Elizabeth, *mais lui donnent un air sauvage*. Elle ressemble à une lionne blessée au combat, qui cherche vengeance. Son épaisse tignasse rousse, pareille à une crinière flamboyante, contribue à accentuer cette image.

– Je ne sais rien des kobolds, répond finalement Elizabeth. Emmanuel ne m'a rien enseigné.

– N'as-tu pas combattu un vieux serviteur kobold ? lui demande Gabrielle. N'as-tu pas mangé son cœur, pour être toi-même faite kobold ?

Elizabeth baisse la tête et observe ses deux poignets. Les deux marques en forme de poignard, signe de son appartenance à la race des kobolds, s'étaient estompées pendant son séjour à l'hôpital. Mais, à présent, elles ont réapparu, plus vives que jamais. Elle se rappelle le jour où on l'a faite kobold. La veille, Noah avait caché Arielle au motel Apollon pour la protéger de Nomis et de ses alters. Prétextant avoir besoin de son aide pour retrouver Arielle, Emmanuel avait donc demandé à Elizabeth de l'accompagner en ville. Mais ce n'est pas en ville qu'il l'avait conduite ce jour-là. Tous les deux s'étaient plutôt rendus à la tanière des elfes noirs : un campement provisoire, loin de leur repaire officiel, que les sylphors avaient établi dans les catacombes condamnées de l'ancien cimetière de Belle-de-Jour. L'endroit était sombre et humide, et puait la mort. Là, Emmanuel avait jeté Elizabeth au centre d'une arène où l'attendait un vieil homme au corps noueux et au regard fatigué. Sans préambule, on lui avait annoncé qu'elle devait tuer le vieillard. Elizabeth avait tout d'abord refusé, mais Emmanuel lui avait expliqué que si elle ne prenait pas la vie de ce vieux kobold, ce serait la sienne qui allait être sacrifiée. Pour lui faciliter la tâche, le vieil homme lui avait même tendu une dague fantôme : « Ce fut un honneur de servir, lui avait-il déclaré d'une voix usée. C'en est un autre de te transmettre mon cœur et mon rang. » Les dizaines de kobolds réunis autour de l'arène avaient alors commencé à scander agressivement le nom d'Elizabeth. Celle-ci se souvenait avoir eu peur. Très peur. *Ils vont me lyncher si je ne fais pas ce qu'ils veulent,* avait-elle alors songé.

— Tue-le, Elizabeth ! lui avait ordonné Emmanuel.

– Tue-le! avaient répété les autres.

La jeune fille avait continué de secouer la tête. Elle était incapable de tuer qui que ce soit. Le vieil homme s'était rapproché d'elle et avait pointé la lame de la dague sur sa propre poitrine.

– Ne te reste plus qu'à appuyer, lui avait-il dit. Fais-le. Délivre-moi, et sauve ta vie.

– Tue-le! Tue-le! n'avait cessé de hurler la foule.

Elizabeth avait posé ses deux mains sur la dague, puis avait fermé les yeux.

– Vas-y, avait murmuré le vieillard.

– TRANSPERCE-LUI LE CŒUR! s'était écrié Emmanuel.

Sans plus réfléchir, Elizabeth avait appuyé de toutes ses forces sur la dague. Elle avait senti la lame pénétrer à l'intérieur du pauvre homme. Sans lâcher l'arme, elle avait ouvert les yeux et avait vu le corps du vieil homme s'assécher, puis se décomposer sous ses yeux. Ne restait plus de lui que son cœur, planté dans la lame de la dague. *Il bat encore*, avait noté Elizabeth avec horreur. Elle avait alors voulu lâcher la dague, mais Emmanuel l'en avait empêché. Placé derrière elle, il s'était empressé d'agripper son bras afin de l'obliger à approcher le cœur de sa bouche.

– Mange maintenant! avait-il exigé.

– NON!

– Mange! avait hurlé la foule. Mange!

Tenant toujours son bras, Emmanuel a approché le cœur battant de ses lèvres.

– Mange, ma belle, lui avait-il glissé au creux de l'oreille. Mange ou tu mourras.

– Non ! Je ne veux pas !

– Mange et tu nous rejoindras. Mange et je t'aimerai. Mange et je te ferai mienne pour toujours.

Une fois de plus, Elizabeth avait fermé les yeux. Elle n'avait pas le choix : Emmanuel allait la tuer si elle ne lui obéissait pas. En se forçant à penser à autre chose, elle avait donc mordu dans l'organe vivant. Le sang avait giclé dans sa bouche, comme le jus d'un fruit mûr. Elle s'était dépêchée d'avaler le morceau de chair, qui avait une texture spongieuse. Emmanuel l'avait obligée à prendre une autre bouchée, puis encore une autre. Submergée par le dégoût, elle avait finalement perdu connaissance. Lorsqu'elle s'était éveillée plus tard, on lui avait révélé qu'elle était devenue serviteur kobold. En tuant le vieux kobold, puis en dévorant son cœur, elle avait hérité non seulement de son rang au sein du groupe, mais aussi de son âme. Dans son cœur, elle avait reconnu la présence du vieux kobold ainsi que celles de dizaines et de dizaines d'autres kobolds qui avaient vécu avant elle. Elle était transformée dorénavant. Elle n'était plus la même. Tous ses regrets et ses remords avaient disparu. Elle se sentait plus légère, plus insouciante. Elle n'avait plus de tracas, ne se sentait plus obligée d'être gentille et obéissante. Elle vivait en symbiose avec des créatures de l'ombre ayant vu le jour à une autre époque. Des créatures du Moyen Âge, féroces et sans merci, pour qui la survie était plus importante que tout ; la survie du corps mais aussi de l'esprit. La nouvelle Elizabeth savait qu'un jour, lorsqu'elle serait vieille, une autre jeune recrue se présenterait pour la défier. Celle-ci la tuerait à son tour et lui arracherait le cœur, ce cœur qui renfermait une mémoire kobold longue de plusieurs siècles. La recrue mangerait son cœur et prendrait sa place auprès des elfes, comme Elizabeth avait pris la place du vieil homme. « C'est ainsi que se perpétue la race des kobolds », lui avait dit Emmanuel en marquant ses poignets au fer rouge. Les deux marques étaient en forme de poignard, le même que celui dont elle s'était servie pour tuer le vieil homme. C'était la marque des kobolds. Marque qu'elle porte encore aujourd'hui.

À la sortie des catacombes, le jeune homme l'avait prise dans ses bras et l'avait embrassée. « Falko m'accordera bientôt sa bénédiction, lui avait-il confié. Il m'accordera l'Élévation elfique. Ce jour-là, je te prendrai pour épouse et je te ferai elfe à mon tour. » Cette idée avait séduit la nouvelle Elizabeth. Son état de kobold ne l'empêchait pas d'être toujours à la recherche du grand amour. Elle avait donc hoché la tête, ravie, et avait suivi Emmanuel.

– Me voilà redevenue une kobold, murmure la jeune fille en examinant les marques sur ses poignets.

– Enfin, tu acceptes la vérité, dit Gabrielle à ses côtés.

– Vous croyez vraiment qu'Emmanuel m'aimera encore ?

Elizabeth montre à nouveau de l'intérêt pour Emmanuel. La nécromancienne s'en réjouit.

– Oui, il te l'a promis, répond-elle alors que les premières lumières du manoir Bombyx apparaissent dans la nuit.

Gabrielle éteint les phares de la Mustang. Elle laisse rouler la voiture sur quelques mètres avant de l'immobiliser en bordure de la chaussée, tout près de la grande allée bordée d'érables qui mène à l'esplanade du manoir. Une fois le moteur éteint, la nécromancienne ordonne à Elizabeth de sortir de la voiture. Toutes deux s'avancent prudemment dans l'allée principale, sans faire de bruit.

– Les alters sont nyctalopes, murmure Gabrielle alors que les deux femmes se dissimulent derrière le premier érable venu. Ce qui veut dire qu'ils peuvent très bien voir dans l'obscurité. Il faudra nous montrer discrètes, sinon les sentinelles alters nous repéreront rapidement.

De l'endroit où elles se trouvent, elles peuvent apercevoir l'esplanade ainsi que l'imposante façade du manoir. Quatre alters et un berger allemand animalter montent la garde sur la terrasse.

– On dirait que tous les gens importants de Belle-de-Jour sont ici, dit Elizabeth en apercevant les nombreuses voitures garées sur l'esplanade.

Arielle a mentionné un peu plus tôt qu'on donnait une fête pour le retour de Noah. *Pourquoi je n'ai pas été invitée ?* se demande Elizabeth. Le fait d'avoir été hospitalisée et d'être encore fragile ne sont pas des raisons valables, selon elle. Pourquoi l'a-t-on écartée alors ? La réponse lui vient de celle qu'elle croyait être sa meilleure amie. En effet, la voix malicieuse d'Arielle résonne de nouveau dans l'esprit d'Elizabeth : « *Tu n'as pas été invitée parce que tu es stupide et laide ! se moque Arielle. Tu mets toujours les mêmes vêtements ; ils sont usés à force d'avoir été portés ! Qu'est-ce que tu attends pour demander à ton fainéant de père de t'en acheter d'autres ? Et tu pues aussi ! Tu empestes comme quelqu'un qui ne s'est pas lavé depuis des semaines. Eli, tu es la risée de Belle-de-Jour ! Personne ne veut de toi, ici ! Personne !* »

— Les kobolds veulent de moi ! proteste Elizabeth à voix haute.

— Pas si fort, la réprimande Gabrielle. Ils vont nous entendre. Bien sûr que les kobolds veulent de toi, ajoute-t-elle, comme si elle savait exactement ce qui se passait dans l'esprit de la jeune fille. Et les elfes noirs aussi. Nous formons une grande famille, Elizabeth.

L'adolescente baisse la tête. Elle semble troublée. Une larme discrète roule sur sa joue.

— Vous trouvez que je suis laide ? demande-t-elle.

— Mais non, réplique la mère d'Arielle. Tu es la plus belle jeune fille que j'aie jamais vue.

— Plus belle qu'Arielle ?

— Cent fois plus belle qu'Arielle. Ça te va ? Il faut y aller maintenant. Tu es prête pour un autre petit tour de magie ?

Elizabeth répond par l'affirmative, tout en séchant ses yeux humides.

« *Alio viaticas locas !* » lance aussitôt Gabrielle en agrippant le bras de la jeune fille. Les corps des deux femmes se désagrègent alors en poussière… et se reconstituent plusieurs mètres plus loin, tout près du manoir. Dès qu'elles ont repris leurs esprits, la nécromancienne s'empresse d'entraîner Elizabeth à sa suite. Elles traversent l'allée menant à la cour arrière et foncent vers le côté de l'édifice. Gabrielle conseille à Elizabeth de faire comme elle et de longer le mur. Toutes deux s'avancent prudemment jusqu'à l'angle du manoir. Après quelques secondes d'observation silencieuse, Gabrielle annonce qu'elles ont échappé à la vigilance des gardes.

– Ils n'ont rien vu, affirme-t-elle, satisfaite. Ils concentrent leur surveillance à l'avant et à l'arrière du manoir.

– Et maintenant, qu'est-ce qu'on fait ? demande Elizabeth, incapable de cacher sa nervosité.

Gabrielle relève la tête. Elle semble chercher quelque chose. Son regard suit l'imposante cheminée de pierre qui s'élève jusqu'au toit.

– La bibliothèque se trouve au deuxième étage, dit-elle tout en continuant de scruter la partie supérieure du mur.

La nécromancienne indique finalement un endroit, à gauche de la cheminée.

– Là !

Elizabeth se demande comment elle peut être certaine que la bibliothèque se trouve bien là.

– Allez, un dernier petit effort ! dit Gabrielle. On y est presque !

Après quoi, elle lance de nouveau : « *Alio viaticas locas !* »

Les deux femmes sont immédiatement téléportées dans la grande bibliothèque du manoir. Elizabeth ouvre les yeux et découvre un magnifique plancher de bois. Elle relève lentement la tête et aperçoit des centaines de livres à la reliure de cuir, rangés sur de longues tablettes fixées aux murs. Une odeur agréable de bois brûlé et de vieux papier règne dans cet endroit. L'adolescente sent soudain une chaleur derrière elle. *Un foyer,* songe-t-elle. Elle se retourne et tend les mains vers le feu qui y brûle. À sa droite, elle remarque la présence d'une large fenêtre rectangulaire occupant tout le mur. Elle tourne la tête vers le mur opposé et distingue une statue de pierre seule dans un coin. La statue représente un jeune elfe noir. Le regard d'Elizabeth s'attarde sur ses traits figés, lesquels lui donnent un air triste. C'est Emmanuel. *Un Emmanuel chauve et aux oreilles pointues*, note la jeune fille en se souvenant que le jeune homme a hérité de l'apparence des sylphors lorsque l'Élévation elfique lui a été accordée par Falko. Lors d'un affrontement avec Arielle, il avait eu la malchance d'être pétrifié par un sort de Saddington, sort qui ne lui était pas destiné.

— Mastermyr, mon fils, murmure Gabrielle en se rapprochant de la statue. Enfin, je te retrouve.

La nécromancienne s'agenouille aux pieds de l'elfe. *Emmanuel,* songe Elizabeth tout en observant la statue, *ton cœur bat-il encore à l'intérieur de cette pierre ?*

«*Emmanuel est mort*, réplique aussitôt une voix dans son esprit. *Il est mort le jour où il a reçu l'Élévation elfique, tout comme Gabrielle est morte le jour où elle a été soumise aux rituels funestes de la nécromancie. Réjouis-toi, jeune kobold, car la disparition de ces deux mortels nous a procuré des alliés de grande valeur.*» Elizabeth ne peut qu'acquiescer : si Emmanuel et Gabrielle ont un jour été humains, c'est bel et bien chose du passé maintenant. *Moi aussi, je suis morte*, se dit-elle en observant la mère et son fils. *Il n'y a plus aucun humain ici. Seulement un elfe noir, une nécromancienne et un serviteur kobold*, ajoute-t-elle en réalisant que, désormais, elle n'appartient plus aux peuples de la lumière, mais à ceux de l'ombre.

— Allez, viens, lui ordonne Gabrielle. Approche-toi.

L'adolescente obéit et la rejoint devant la statue.

— Nous ferons revivre Mastermyr, déclare la nécromancienne. Ensemble, grâce à notre amour.

Elizabeth pressent le danger d'une telle action. Libérer Mastermyr de sa prison de pierre entraînera de graves conséquences, elle le sait, mais elle est tout de même d'accord : son envie de revoir le jeune elfe est plus forte que tout.

— Tu devras l'embrasser au moment où je réciterai l'incantation qui lui fera reprendre vie, explique Gabrielle.

Elizabeth hoche la tête pour montrer qu'elle a bien compris.

— Alors, on y va ?

— On y va, confirme la jeune fille.

Elle se lève et approche son visage de celui de Mastermyr. Les yeux de la jeune kobold rencontrent ceux, pétrifiés, de la statue. Il n'y a rien, aucun reflet. Les orbites du garçon sont grises et pleines. Sa bouche est légèrement ouverte et figée dans le silence. *Es-tu là, Mastermyr?* se demande Elizabeth. *Attends-tu d'être libéré?*

Gabrielle se lève à son tour. «*Erini statuere spirare*», chuchote-t-elle à l'oreille de Mastermyr alors qu'Elizabeth se penche et pose doucement ses lèvres sur celles, froides et rigides, de la statue. «*Qui est là?*» demande une voix d'homme à l'intérieur de l'adolescente. «*C'est moi*, répond Elizabeth, qui a reconnu la voix d'Emmanuel. *Celle qui est devenue kobold pour être avec toi.*»

Une fois leurs tâches respectives accomplies, les deux femmes s'éloignent ensemble de la statue. À reculons, elles se rendent jusqu'au centre de la bibliothèque, sans quitter Mastermyr des yeux. La toute première chose qu'elles remarquent, c'est un changement de couleur: la statue passe par toutes les nuances de gris, du plus foncé au plus pâle; elles ont l'impression que la pierre perd de sa densité. C'est comme si l'on retirait une à une les différentes strates superposées qui recouvrent le corps de Mastermyr. La couleur de ses vêtements ainsi que le rosé de sa peau se font de plus en plus visibles à travers la nouvelle pellicule translucide. Elizabeth perçoit soudain un mouvement à l'intérieur. Mastermyr a bougé. Un doigt. Puis une main. Il essaie de tourner la tête, mais n'y arrive pas. Comment le pourrait-il dans un espace si restreint? Il est prisonnier à l'intérieur d'une enveloppe de pierre qui moule parfaitement son corps, pareil à un animal qui, après avoir mué, demeurerait piégé dans sa propre exuvie. Il ne semble pas encore assez fort pour briser l'enveloppe ou la percer. Elizabeth s'imagine un oisillon, paniqué, qui essaierait par tous les moyens de sortir de sa coquille. Il sait qu'en cas d'échec, c'est la mort assurée.

— Il faut l'aider! dit-elle en s'avançant vers Mastermyr.

Gabrielle l'agrippe par le bras et la force à revenir sur ses pas.

— Non! répond-elle. Il doit le faire seul. Il en est capable. Falko ne lui a pas seulement fait don d'une identité elfique, il lui a aussi transmis ses pouvoirs de voïvode.

Elizabeth n'a d'autre choix que de s'en remettre à la nécromancienne. L'enveloppe continue de s'amincir, constate-t-elle. Elle discerne de petites craquelures à différents endroits sur sa surface.

— Sa prison de pierre est en train de se fissurer, observe Gabrielle alors que des craquements se font entendre.

L'oisillon réussira à briser sa coquille, en conclut Elizabeth avec soulagement. *Sa mère l'accueillera lorsqu'il en sortira. Moi aussi, je serai là, pour le réchauffer et l'aimer.*

L'instant d'après, elles entendent un grognement, puis un cri: Mastermyr n'en peut plus d'être enfermé ainsi. Les deux femmes ressentent sa panique, mais aussi sa colère. L'enveloppe, qui n'est plus maintenant qu'une mince pellicule, explose littéralement. Des centaines d'éclats de pierre volent en tous sens dans la pièce. Se crée ensuite un épais nuage de poussière qui se répand dans toute une section de la bibliothèque. Mastermyr en émerge quelques secondes plus tard, enfin libéré de sa prison.

Bras écartés, l'air triomphant, il savoure déjà son retour à la vie.

7

*Les portes s'ouvrent et Arielle
est poussée à l'intérieur de la
salle de bal par l'alter de
Dorothée-sans-pitié.*

La jeune fille distingue immédiatement deux groupes de personnes : il y a ceux qui sont éveillés et qui se tiennent debout tout près de la scène où étaient installés l'orchestre et le *disc-jockey*. *Ce sont des alters,* note Arielle. Même sans leur uniforme, elle les reconnaît. Ils ont conservé leur smoking ou leur robe de soirée, mais leur corps, lui, a changé. Ils ont tous adopté leur apparence d'alter : épaules plus larges pour les hommes, taille plus fine pour les femmes. Ceux qui étaient petits et trapus sont maintenant sveltes et élancés. La plupart ont gagné quelques centimètres. Leur peau est plus claire, et leurs cheveux, plus sombres. Les traits de leur visage se sont adoucis, mais ils possèdent tous le même regard froid et perçant, qui laisse transparaître leur nature démoniaque.

À l'autre extrémité de la salle se trouve l'autre groupe : les habitants de Belle-de-Jour qui n'ont pas d'alter et qui n'ont donc subi aucune mutation. L'effet du gaz soporifique ne s'est pas dissipé chez eux ; ils sont toujours endormis. On les a tous regroupés dans un coin. Ils sont étendus les uns à côté des autres, comme les cadavres qu'on voit à la télé en temps de guerre ou après un cataclysme. Arielle reconnaît parmi eux Juliette, leur femme de ménage, ainsi que les parents de Noah. Un peu plus loin, elle repère son oncle Sim et Jason Thorn. Eux aussi sont inconscients. On les a transportés à l'écart des autres habitants de Belle-de-Jour. Près de Sim et de Jason reposent également Rose et Émile. Les proches d'Arielle sont surveillés en permanence par un groupe d'alters armés d'épées fantômes. On leur a certainement tranmsis la consigne de s'en prendre à Sim et aux autres si la jeune fille ne se montrait pas « coopérative ». Celle-ci ne peut donc rien tenter sans mettre la vie de son oncle et de ses amis en danger.

Les alters de monsieur Martin et de Dorothée-sans-pitié obligent Arielle à s'avancer jusqu'à la scène autour de laquelle sont réunis les autres alters. Le *disc-jockey* et les membres de l'orchestre ont déserté les lieux. Les seules personnes qui occupent maintenant la scène sont Reivax et le corbeau animalter de Nomis. L'adolescente constate que les trois coffres de fonderie portant l'emblème de l'usine Saturnie se trouvent toujours sous la scène. Elle est maintenant certaine qu'ils n'ont pas été apportés ici par hasard, et qu'on dévoilera bientôt leur utilité.

– Jolie robe! lance Reivax lorsqu'il aperçoit Arielle. Elle te va à merveille. Je l'ai moi-même choisie, tu le savais?

Arielle s'apprête à répondre qu'elle n'en a rien à faire lorsque Ael, l'alter de Léa Lagacé, ainsi que Razan apparaissent soudain à ses côtés. Ils ont été escortés par leurs frères alters qui, apparemment, n'ont pas hésité à les malmener. Arielle en conclut qu'Ael et Razan ont été conduits ici pour la même raison qu'elle: passer en jugement devant Reivax.

Ael s'adresse à Arielle:

– On va finir par devenir copines à force de se côtoyer, dit-elle avec ironie.

Razan, pour sa part, ne semble pas comprendre pourquoi ses frères alters le traitent de cette façon. D'un signe de la main, il cherche à attirer l'attention de Reivax.

– Mais qu'est-ce que j'ai fait, hein? Qu'est-ce que j'ai bien pu faire pour mériter ça? Je suis des vôtres, non?

– Tu es coupable par association, répond l'animalter corbeau du haut de la scène.

– C'est pas à toi que je parlais, le plumeau! rétorque Razan en pointant l'animalter du doigt.

– SILENCE! ordonne Reivax dans le microphone qu'utilisait le *disc-jockey* un peu plus tôt.

Sa voix puissante résonne dans les haut-parleurs. Tous les alters présents dans la salle se taisent et baissent la tête en signe de soumission.

– Ce soir, il était important pour moi d'organiser une célébration! déclare Reivax en marchant sur la scène. N'est-ce pas là la tradition lorsqu'il nous faut imposer un châtiment? Lorsqu'il nous faut punir ceux ou celles qui ont lamentablement échoué? Répondez, mes amis! Est-ce la tradition?

Les alters clament d'une même voix:

– C'EST LA TRADITION!

– Une de nos sœurs a failli! poursuit Reivax en adoptant le ton et l'allure d'un prédicateur. Sa tâche était des plus simples: elle devait nous redonner espoir à tous! Elle devait assurer notre avenir en ramenant à la vie le seul et unique héritier de Bombyx: mon petit-fils, Nomis! Mais elle n'a pas réussi. Par sa faute, notre Nomis bien-aimé a disparu à tout jamais. Son âme et son corps ont été dispersés dans le néant éternel.

Reivax s'arrête au bout de la scène, devant Ael.

– Vous savez tous qui est responsable de ce forfait! s'écrie-t-il en pointant l'index vers la jeune alter. Elle paraît aujourd'hui devant moi, devant nous!

– J'ai fait ce que j'ai pu pour le sauver, proteste Ael.

– Tais-toi, accusée! riposte Reivax. Le temps n'est plus à la parole mais au châtiment!

Il désigne ensuite Arielle et l'alter de Noah.

– En prime, annonce-t-il aux alters, je vous offre les deux élus de la prophétie. Ils ont eux aussi une part de responsabilité dans la mort de mon petit-fils.

– Moi, un élu? fait Razan. Mais ça va pas, non?

– Et notre trêve, Reivax? intervient Arielle. Vous avez décidé d'y mettre fin?

Le vieil alter éclate de rire.

– Nous n'avions pas à nous inquiéter tant que Noah était mort, répond-il. Sans les deux élus, la prophétie ne pouvait se réaliser. Mais maintenant que ton amoureux est de retour, les alters de Belle-de-Jour sont de nouveau en danger.

– Et le médaillon demi-lune qui est en votre possession? demande Arielle. Ça ne suffit pas à vous rassurer? Sans lui, on ne peut rien contre vous. Tant qu'il est en votre possession, vous n'avez rien à craindre.

– Ce n'est pas une garantie suffisante, réplique Reivax. Un jour, ce médaillon pourrait échapper à notre contrôle, il pourrait nous être enlevé ou volé. La seule façon de nous assurer que la prophétie ne se réalisera jamais, et que les alters ne seront pas détruits, c'est d'éliminer les deux élus. Que tu le veuilles ou non, Arielle, ta mort et celle de Noah nous préserveront de l'extinction.

– Hé! pas si vite! fait Razan. Vous êtes sourds? Je répète que je ne suis pas l'élu!

– Non, mais il vit quelque part en toi, rétorque le corbeau animalter. On aurait souhaité que ça se passe autrement, Razan, mais on n'a pas le choix: Noah Davidoff doit mourir. Vous êtes liés tous les deux, alors tu devras y passer toi aussi.

– Avancez les coffres! ordonne soudain Reivax.

Les alters des trois clones, Daphné Rivest, Judith Mongeau et Bianca Letarte obéissent aux ordres et se glissent sous la scène. Elles se placent ensuite derrière les coffres de fonderie marqués de l'emblème de l'usine Saturnie. Ceux-ci sont munis de roulettes en acier. Les clones s'y mettent à trois pour déplacer le premier coffre, et répètent la manœuvre pour les autres. Une fois les trois coffres avancés, elles se retirent et attendent les ordres suivants.

Tout se passe comme l'avait prévu Noah, se dit Arielle. *Il avait raison: Reivax nous réservait une mauvaise surprise. Mais c'est peut-être lui qui l'aura, finalement.*

– Qu'allez-vous faire de ces objets? demande Ael.

– Vous y enfermer, répond Reivax sans hésitation. Ensuite, nous les remplirons de métal en fusion.

– Avec nous à l'intérieur? l'interroge Razan.

– Avec vous à l'intérieur, confirme le maître de Bombyx.

Puis il ajoute, avec une exaltation non dissimulée:

– La chaleur du métal sera telle que vos corps seront immédiatement consumés. Vous serez réduits en bouillie, littéralement. Plus tard, lorsque le métal se sera refroidi, il formera trois blocs solides à l'intérieur des moules. À ce moment-là, nous n'aurons plus qu'à les extraire des coffres et à les transporter au centre du lac Croche, où ils seront largués. Les blocs de métal contenant vos corps dilués côtoieront les poissons jusqu'à ce que les eaux s'assèchent. N'est-ce pas là le moyen le plus sûr de ne plus jamais revoir les élus dans le monde des vivants?

– Génial, fait Arielle sur un ton détaché. On peut en finir maintenant? ajoute-t-elle avec l'espoir que les alters s'activent et ouvrent enfin ces maudits coffres.

Apparemment, Reivax aussi a hâte d'en finir. Il fait signe aux trois clones. Les jeunes alters se dépêchent de revenir vers les coffres et s'apprêtent à les ouvrir lorsque Razan intervient :

– Vous ne devriez pas faire ça, Reivax !

Du haut de la scène, Reivax dévisage Razan pendant quelques secondes avant de lui demander :

– Ah oui ? Et pour quelle raison ?

– Vous promettez de ne pas m'enfermer là-dedans ?

– Pourquoi ? Tu ne veux pas mourir, Razan ? Ce coffre est ton billet de retour pour le royaume des morts. Je croyais que tu souhaitais par-dessus tout retourner dans l'Helheim ?

Pour Razan, retourner dans l'Helheim n'est peut-être pas si terrible, après tout, songe Arielle. Là-bas, on le considérait comme une personnalité importante. Il était capitaine dans la garde personnelle du seigneur Loki, ce qui lui valait les bonnes grâces du dieu du mal, mais aussi de sa fille, la déesse Hel.

– Ne faites pas l'idiot, Reivax, répond Razan. Vous savez très bien que Loki est aussi rancunier que vous et qu'il ne pardonne pas facilement l'échec. Je suis condamné si je retourne là-bas.

– Dis-moi pourquoi on ne devrait pas ouvrir ces coffres, et je verrai ensuite ce que ça vaut. C'est tout ce que je peux t'accorder pour l'instant.

– Ce n'est pas suffisant.

– D'accord, dit Reivax en haussant les épaules.

Il s'adresse ensuite aux trois clones :

– Commencez par lui !

– Attendez ! crie Razan alors que les trois alters s'avancent vers lui. D'accord, je vais tout vous dire.

Il prend une grande inspiration, puis se lance :

– Les deux élus ont tout prévu, voilà pourquoi vous allez le regretter si vous ouvrez ces coffres.

– Ils ont tout prévu ? répète Reivax, dont Razan a réussi à piquer la curiosité. Que veux-tu dire ?

– Arielle et Noah savaient que ces coffres allaient vous servir ce soir.

Le vieil alter hausse un sourcil.

– Les élus peuvent lire l'avenir, maintenant ? demande-t-il en éclatant de rire.

Il est immédiatement imité par les autres alters.

– Non, réplique sèchement Razan, mais ils peuvent lire un bordereau de livraison.

Reivax reprend soudain son sérieux.

– Quel bordereau de livraison ?

– Celui que vos employés ont rempli lorsqu'ils ont préparé le transport des coffres de la fonderie au manoir.

– Razan, arrête ! lui ordonne Arielle.

– Désolé, princesse. Alter un jour, alter toujours. C'est plus fort que moi, je suis incapable de trahir les miens. Surtout si ça concerne mon retour vers l'Helheim, ajoute-t-il en lui adressant un clin d'œil.

– Comment peux-tu être au courant de ça ? demande le corbeau animalter, lequel se trouve toujours aux côtés de Reivax.

Razan pose son index sur sa tempe.

– Tout est là, dit-il. En partie, du moins. Vous savez comme moi qu'après son éveil, un alter conserve certains souvenirs appartenant à sa personnalité primaire.

De Noah, il a gardé celui-ci, leur explique-t-il : ce matin, les deux élus ont rendu une petite visite au père de Noah. Ivan Davidoff, contrôleur au service de la comptabilité de l'usine Saturnie. Tous les trois ont parlé de la fête que Xavier Vanesse allait donner ce soir en l'honneur de Noah. Pendant la discussion, Ivan a mentionné qu'il a vu passer sur son bureau un bordereau de livraison indiquant que trois coffres de fonderie devaient être livrés au manoir Bombyx, avant le soir même. Il en a tout de suite déduit que c'était pour la fête, tout en se demandant à quoi ces coffres pourraient bien servir. Il a finalement retrouvé le bordereau et l'a montré aux deux élus : « Et si c'était pour y cacher trois danseuses exotiques ? » a tout de suite blagué le père de Noah. Arielle et Noah n'ont pas ri. Ils ont demandé où se trouvaient les coffres à cet instant précis. Ivan a répondu que le commis à l'expédition de marchandises les avait probablement fait préparer, mais qu'ils n'étaient pas encore partis, car le camion de livraison allait passer seulement en fin de matinée.

– C'est tout ? fait Arielle dès que Razan a terminé son récit.

La jeune fille éclate de rire, comme si elle était incapable de se contenir davantage. Toutes les têtes se tournent vers elle.

— Qu'est-ce qu'il y a? lui lance Razan.

— Tu as vraiment beaucoup d'imagination, répond Arielle. Je suis… impressionnée.

— Tant mieux si ça t'amuse, princesse.

— Alors, que fait-on, Reivax? demande Ael, qui jusque-là n'avait pas dit un mot. On les ouvre ou pas, ces coffres? Il commence à se faire tard.

Le vieux Reivax demeure silencieux. Il hésite, de toute évidence. Le corbeau se tourne vers lui. Sa recommandation est claire: «Hâtez-vous de faire un choix, maître. Les regards de nos frères alters sont braqués sur vous. Ils attendent une décision.»

— Il y a des centaines d'alters dans cette salle, poursuit Ael. Et Arielle est seule. Même si Noah et elle avaient caché des armes dans ces coffres, combien de temps croyez-vous qu'elle tiendrait contre vous tous?

— Pourquoi tu fais ça? demande Razan. En les incitant à ouvrir ces coffres, c'est comme si tu te rangeais du côté d'Arielle.

— Je ne me range d'aucun côté. J'accepte mon châtiment, contrairement à certains, ajoute Ael en regardant Razan. Et j'ai envie d'en finir, pour retourner dans l'Helheim et recevoir ma seconde punition de la main même de Loki. Reivax, il y a un moyen facile de savoir qui de Razan ou d'Arielle dit la vérité. Ouvrez ces maudits coffres et vérifiez-les!

Reivax acquiesce en silence.

— Tu étais un bon élément, chère Ael, déclare le vieil alter. Je vais te regretter. Ouvrez ces coffres! ordonne-t-il ensuite aux trois clones, et inspectez-les de fond en comble! Après quoi, vous enfermerez nos trois amis à l'intérieur!

– Vous faites une erreur, Reivax, insiste Razan.

– Ne l'écoutez pas, dit Ael. Il cherche seulement à gagner du temps.

– Et pourquoi je ferais ça?

– Parce qu'il veut retarder son retour dans l'Helheim. S'il retourne là-bas, Loki le fera empaler et l'offrira en pâture aux trolls.

– C'est pas croyable! siffle Razan. Jamais j'aurais pensé que toi, Ael, tu te rangerais du côté des élus. Pourquoi tu fais ça? Parce que leur beau chevalier fulgur t'a sauvé la vie?

– ÇA SUFFIT! s'écrie Reivax. J'en ai assez de les entendre! Procédez!

Les alters de Dorothée-sans-pitié et de monsieur Martin viennent prêter main-forte à ceux des trois clones. Ensemble, ils desserrent les courroies de métal qui ceinturent chaque coffre. Ces courroies servent à réunir les deux éléments creux qui forment le moule. Une fois les courroies retirées, les alters réussissent à séparer les coffres en deux parties. À l'intérieur de chacune de ces parties se trouve une cavité qui, en temps normal, sert à recevoir le métal en fusion.

– Voilà, c'est fait, annonce l'alter de monsieur Martin.

– Et alors? demande Reivax. Il y a quelque chose à l'intérieur?

L'alter de Dorothée-sans-pitié se penche vers le premier coffre et examine l'une de ses deux parties. Le creux à l'intérieur de celle-ci est sombre et profond.

— Non, je ne vois rien qui pourrait…

Elle n'a pas le temps de finir sa phrase. Un marteau mjölnir surgit brusquement du fond de la cavité et l'atteint en plein front. L'alter de l'enseignante s'étend de tout son long. Le marteau ne s'arrête pas là : il poursuit sa course et fonce vers la demi-douzaine d'alters qui surveillent les amis d'Arielle. Le mjölnir leur fracasse le crâne à tour de rôle, sans qu'ils aient la possibilité de réagir. En une fraction de seconde, les six alters sont mis hors d'état de nuire. Le marteau survole un instant la salle, puis revient vers les coffres.

Brutal émerge alors de la cavité d'où a jailli le mjölnir un peu plus tôt. L'animalter porte les gants de métal de Jason Thorn, lesquels sont indispensables à tous ceux qui veulent manipuler les mjölnirs.

— J'adore ces trucs-là, dit Brutal en levant la main pour récupérer le marteau. Il m'en faut une paire !

Geri et Freki, les animalters dobermans, bondissent hors des deux autres coffres de fonderie.

— Livraison spéciale ! s'écrie Geri en lançant une épée fantôme à Arielle.

La jeune fille attrape l'épée, et la pointe aussitôt en direction de Reivax.

— On rappelle l'orchestre ? lui demande-t-elle. J'ai envie de danser !

8

D'un pas lent mais résolu, Mastermyr s'avance vers les deux femmes.

Celles-ci se précipitent à sa rencontre. Gabrielle prend le jeune sylphor dans ses bras, tandis qu'Elizabeth demeure légèrement en retrait.

– Mère ? fait Mastermyr, étonné. C'est bien toi ?

– Oui, mon fils. Je suis de retour.

– Je croyais que tu étais morte… dans cet accident de voiture, le jour où tu es partie avec Arielle.

Elizabeth décèle de l'amertume dans les paroles de Mastermyr. Le jour où Gabrielle s'est enfuie avec Arielle est aussi celui où elle a abandonné Emmanuel aux mains des elfes et des kobolds. Visiblement, Emmanuel n'a pas oublié cette désertion et en souffre toujours. En ce temps-là, Gabrielle Queen était encore humaine. C'était bien avant qu'elle ne soit initiée à la nécromancie et qu'elle ne rejoigne les rangs des elfes.

– Lothar et Falko se sont entendus pour garder le secret, explique Gabrielle à son fils.

Après l'accident, ils ont tous les deux décidé de lui faire quitter le pays. Elle a passé toutes ces années dans la fosse nécrophage d'Orfraie, sous la protection de Lothar. Elle n'a pas vécu comme une prisonnière, contrairement aux alters et aux chevaliers fulgurs qui pourrissent dans les cellules du niveau carcéral. On l'a bien traitée, même si au début elle ne voulait rien entendre. La seule chose qui lui importait était de savoir si Arielle allait bien. C'était avant que les nécromanciennes l'accueillent dans leur caste et lui accordent enfin le rituel de l'éveil. Elle a alors compris que les sylphors étaient des êtres supérieurs, presque divins. Ils forment la race choisie, celle qui vaincra les dieux et leur montrera la voie du Sanctuaire. Ils les libéreront de la souffrance et des maux que leur impose chaque jour ce monde misérable, auquel les ont confinés Odin, Loki et tous les autres.

– Arielle souhaite la destruction de nos libérateurs, poursuit la nécromancienne. Elle est l'ennemie de ceux qui nous affranchiront à la fois du bien et du mal. Nous devrons les combattre, elle et ses compagnons, jusqu'à ce qu'ils se joignent à nous… ou qu'ils meurent.

Mastermyr s'éloigne de Gabrielle sans dire un mot.

– Alors, tu es devenue nécromancienne? lance-t-il au bout d'un moment.

Gabrielle acquiesce:

– Oui, et Lothar m'a chargée de te servir.

– J'ai déjà une nécromancienne, répond froidement Mastermyr. Pourquoi n'est-elle pas ici, avec vous ?

– Tu fais allusion à Saddington ? dit Gabrielle. Elle est morte, mon chéri. Tuée par Arielle.

– Quoi ?

– Je suis désolée.

Mastermyr aperçoit soudain Elizabeth, qui attend toujours derrière Gabrielle. Il n'avait pas remarqué sa présence jusqu'à ce moment. La jeune fille est gênée par le regard perçant qu'il pose sur elle. Elle rougit, heureuse qu'il la voie enfin. Remplie d'espoir, elle lui offre son plus beau sourire. Mais la réaction de Mastermyr n'est pas celle qu'elle prévoyait ; au lieu de lui rendre son sourire, il la fusille du regard, tout en prenant un air menaçant.

– Toi ! s'écrie-t-il en la pointant du doigt. C'est ta faute ! C'est à cause de toi si Saddington est morte !

En un éclair, le sylphor est sur elle et la pousse violemment. La pauvre Elizabeth se retrouve sur le sol, parmi la poussière et les éclats de pierre. Elle ne comprend pas pourquoi le garçon a agi ainsi ; stupeur et sentiment de rejet se mêlent en elle, et lui font monter les larmes aux yeux. Son esprit confus se souvient maintenant de ce qui s'est passé dans la cave de Saddington, le soir où Emmanuel a été transformé en statue de pierre. Saddington s'apprêtait à réunir les deux médaillons demi-lunes lorsque Elizabeth, contre toute attente, avait bondi sur elle et l'avait fait tomber. «Vieille salope de sorcière !» avait alors crié la jeune fille en lui assénant des coups sur la tête.

Elle s'était ensuite jetée sur l'un des médaillons demi-lunes et l'avait passé à Arielle, permettant ainsi à son amie de reprendre son apparence et ses pouvoirs d'alter. Grâce à cela, Arielle avait pu combattre Emmanuel et, plus tard, tuer Saddington. *Voilà pourquoi il m'en veut autant,* se dit Elizabeth. *Il croit que c'est à cause de moi si Saddington est morte.*

Elle se relève péniblement. Ses espoirs de rapprochement avec Mastermyr se sont éteints à tout jamais.

– Je vais te tuer! la menace le sylphor en continuant de s'avancer vers elle.

Elizabeth éclate en sanglots; celui qu'elle aime par-dessus tout menace de la tuer! Elle est effondrée, mais cela ne l'empêche pas de s'éloigner du jeune elfe en colère; elle l'aime autant qu'elle le craint.

Gabrielle se place entre eux.

– Arrête, mon fils! dit-elle à Mastermyr. Elizabeth est des nôtres, et ce soir nous aurons besoin de tous nos alliés.

– Elle est des nôtres? se moque le garçon. Depuis quand? C'est à cause de cette idiote si les médaillons nous ont échappé. À la dernière minute, elle s'est rangée du côté de son amie Arielle. Pas question que je lui fasse confiance maintenant. Qu'est-ce qui me prouve qu'elle ne nous trahira pas encore?

– Sa mutation est complète cette fois, explique Gabrielle.

– Elle l'était aussi lorsqu'elle a été faite kobold dans l'ancien cimetière.

– Non.

Selon la nécromancienne, trop peu de temps s'est écoulé entre le moment où elle a été faite kobold et celui où elle s'est retrouvée dans la cave chez Saddington. Mais aujourd'hui, soutient-elle, la transformation est achevée. Les médecins de l'hôpital ont bien essayé de la guérir en la bourrant d'antibiotiques, mais cela n'a pas suffi. Le sang qui est pompé par son cœur de kobold se renouvelle trop rapidement pour que les médicaments aient réellement le temps d'agir. Un an de traitement intensif aurait été nécessaire pour éliminer toute trace de kobold chez Elizabeth, conclut Gabrielle.

Mastermyr ne dit rien. Il fixe Elizabeth, en silence, tout en réfléchissant aux paroles de sa mère. Puis, d'un pas lent, il s'approche d'elle. Son regard est toujours chargé de mépris, mais il ne semble plus vouloir la frapper.

– Au premier écart, l'avertit-il, je t'arrache le cœur.

Elizabeth hésite un moment avant d'acquiescer en silence.

– Un simple doute suffira, ajoute Mastermyr en se tournant vers Gabrielle. Tu comprends?

La nécromancienne jette un coup d'œil à Elizabeth avant de répondre par l'affirmative.

– Quelle est notre situation? demande ensuite le sylphor. Nous remportons beaucoup de batailles contre les alters?

Comprenant qu'il parle des elfes noirs en général, Gabrielle répond:

– Nous éprouvons de plus en plus de difficultés en ce moment. Surtout dans les grandes villes. Il n'y a pas si longtemps encore, nous avions le dessus sur les alters, mais le vent a commencé à tourner. Depuis quelques semaines, nous ne subissons que des revers.

Elle ajoute que les alters ont davantage de facilité que les sylphors à se fondre dans la masse, ce qui leur permet de passer inaperçus. Difficile de les différencier des humains dorénavant. En Europe, ils abandonnent graduellement leurs traditionnels uniformes de cuir pour adopter des tenues, disons, plus décontractées : chemises, chandails, jean et pantalons. Ils réussissent à infiltrer les plus importantes organisations. Ils sont présents partout : dans l'armée, la police, les gouvernements, les banques et les grandes entreprises. Ils ont su s'adapter au monde moderne, mieux que les sylphors, qui, à cause de leur apparence, doivent se terrer dans des fosses pour éviter d'être repérés par leurs ennemis. Et parmi ces ennemis, il faut également inclure les humains, qui feraient assurément la chasse aux elfes s'ils connaissaient leur existence. Lothar craint d'ailleurs que cela ne fasse partie du plan des alters : révéler au monde entier la présence des sylphors.

— Les récents combats ont fait beaucoup de morts chez les elfes, poursuit Gabrielle. Les alters ont tendu des pièges à nos frères. Ce qui s'est passé à Belle-de-Jour n'est pas un fait isolé. Ton père, Falko, n'est pas le seul à être tombé dans un guet-apens. Plusieurs autres voïvodes et leurs guerriers ont été attirés puis tués dans d'autres petites villes de l'arrière-pays. Il semble que le retrait des alters dans les campagnes ait été planifié il y a longtemps, en vue de nous y attirer. Leur but était de nous faire quitter les villes, afin de reprendre le contrôle de celles-ci. Et selon les dernières informations fournies par nos éclaireurs, ils y sont parvenus.

– Des victoires pour les elfes? l'interroge Mastermyr.

– Les voïvodes Ithalion et Masterdag ont été battus. Il ne reste plus rien de leurs troupes. Masterkar, en Irlande, a réussi à évacuer plusieurs de ses guerriers après sa défaite, mais il a tout de même essuyé de grandes pertes. Lothar est le seul à être parvenu à repousser les alters. Il a fait beaucoup de dommages dans leurs rangs.

– Il se trouve toujours dans la fosse nécrophage d'Orfraie?

Gabrielle secoue la tête.

– Il en a confié le commandement à Alkoner, son bras droit.

– Où est-il alors?

La nécromancienne prend une profonde inspiration avant de répondre:

– Lothar est en route pour le Nouveau Monde. Il sera ici sous peu.

– Ici? Tu veux dire en Amérique?

– Je veux dire à Belle-de-Jour. Il a décidé d'en finir avec cette ville et, surtout, avec les deux élus. Alkoner prétend que les alters de Reivax ont un espion chez nous, c'est pourquoi Lothar a décidé de quitter la fosse; elle n'est plus sûre. Il souhaite établir ses nouveaux quartiers dans le Canyon sombre.

— Mais le Canyon sombre appartient aux elfes du Nouveau Monde ! Pas à ceux de l'Ancien Monde ! proteste Mastermyr.

— Les elfes du Nouveau Monde ont tous été décimés ici, lui répond Gabrielle. Tu es le dernier. Il te faut du renfort, et c'est Lothar qui te l'apportera. Tu devras l'accueillir dans ton repaire.

Après un moment de silence, elle ajoute :

— Le temps n'est plus à la discorde, mon fils. Les elfes noirs sont de moins en moins nombreux. Il faut s'unir maintenant, et combattre.

— Qu'est-ce que Lothar attend de moi ?

— Il veut que tu récupères le *vade-mecum* des Queen dans le Canyon sombre et que tu le rapportes ici. Comme tu le sais, le livre est protégé par un puissant champ de force. Seuls les voïvodes connaissent l'incantation magique qui permet de le neutraliser.

— Qu'est-ce qu'il veut faire du *vade-mecum* ?

— Il souhaite invoquer ses ancêtres. Pour combattre les alters, mais aussi pour recevoir leurs conseils.

— Le livre est inutilisable, affirme Mastermyr. Saddington travaillait dessus avant d'être envoyée ici avec moi, et elle n'a jamais rien pu en tirer.

— Lothar croit avoir trouvé quelqu'un qui pourra s'en servir.

— Qui ça ? Toi ? Il n'y a qu'une élue de la lignée des Queen qui puisse l'utiliser, ce qui te disqualifie. Tu es la fille et la mère d'une élue, mais toi-même tu n'en es pas une.

— Ce n'est pas moi qui m'en servirai. C'est Salvana.

– Ce livre appartient aux Queen, rétorque Mastermyr, et ne répond qu'à ses propriétaires.

Sa mère se met à rire.

– Tu fais erreur. Dois-je te rappeler que le *vade-mecum* sert à invoquer les morts ? Il a été conçu par les fondateurs et les fondatrices de la caste des Sordes, les tout premiers nécromanciens de notre famille. Ils en sont les seuls vrais propriétaires.

– Je sais, Saddington me l'a raconté. Mais elle a aussi précisé que le *vade-mecum* avait été volé aux Sordes par Sylvanelle la quean et que, depuis ce temps, le livre n'obéissait qu'aux élues de sa lignée.

– Oui, mais cela peut être changé, et c'est ce que Lothar a prévu de faire. Bon, nous avons assez perdu de temps maintenant. Il faut nous mettre en route.

Gabrielle entraîne Elizabeth vers la porte de la bibliothèque qui donne sur le couloir. Mastermyr ne les suit pas encore.

– Comment nous rendrons-nous au Canyon sombre ? demande-t-il. C'est à des milliers de kilomètres d'ici.

– Nous y serons en moins d'une heure, répond Gabrielle. Tu comprendras plus tard. Allez, viens, il faut se dépêcher de descendre à la cave du manoir. Il nous reste encore une chose à récupérer avant le départ.

– Et les alters ?

– Tu n'as pas à t'inquiéter. Ils sont tous réunis dans la salle de bal et n'en sortiront pas avant un bon moment, crois-moi.

Mastermyr l'observe en silence.

— J'hésite à te faire confiance, mère.

— Fils, je n'ai plus rien de la misérable humaine qui t'a abandonné autrefois. J'ai changé. Mon amour pour toi aujourd'hui est encore plus fort que celui que j'éprouvais pour ta sœur. Je te protégerai au prix de ma vie cette fois.

Après réflexion, le jeune sylphor finit par hocher la tête. Ses choix sont limités. Ne voyant pas ce qu'il pourrait faire d'autre, il choisit enfin d'accompagner sa mère et Elizabeth à l'extérieur de la bibliothèque. Il réalise rapidement que Gabrielle avait raison : le manoir est vide. Pas un alter ne les interpelle. Il n'y a aucun garde, aucune sentinelle, pas même un animalter canin patrouillant dans les corridors. Les trois compagnons accèdent à la mezzanine, puis descendent les grands escaliers. Ils perçoivent du bruit et des voix derrière les portes de la salle de bal lorsqu'ils passent devant.

— Xavier Vanesse donne une fête ce soir pour le retour de Noah Davidoff, leur dit Elizabeth.

Mastermyr l'agrippe par le bras.

— Qu'est-ce que tu dis ? Noah est vivant ? Je croyais pourtant l'avoir tué…

— Il est bien mort, explique Gabrielle, mais Arielle et ses amis sont allés le chercher dans l'Helheim. Viens, on en reparlera plus tard. Il faut se dépêcher !

Ils reprennent leur course et se dirigent vers un endroit que leur indique la nécromancienne. Il s'agit d'une pièce ouverte, située sous les escaliers. Elle n'est pas éclairée et son entrée est à peine visible du couloir. Sur le mur du fond se trouve une petite porte basse et cadenassée.

— J'ai eu accès au plan du manoir et je l'ai mémorisé, leur révèle Gabrielle. Cet accès mène tout droit à la salle du coffre.

Elle prononce une incantation pour faire sauter le cadenas. Cela fait, elle s'empresse de tirer sur la porte qui s'ouvre en grinçant. La nécromancienne, le sylphor et la kobold s'engouffrent alors dans une étroite galerie qui descend sous le manoir.

— Quelle est cette chose que nous devons récupérer avant de partir? demande Mastermyr en dévalant les marches.

— Le médaillon demi-lune du jeune Davidoff, répond Gabrielle. Arielle s'en est servie pour conclure une trêve avec Reivax. Les alters le conservent précieusement dans le coffre-fort du manoir.

— Que comptes-tu en faire?

— Lothar pense que ce serait une bonne idée de le redonner à Noah Davidoff. En attendant de pouvoir mettre la main sur celui d'Arielle.

Mastermyr oblige sa mère à s'arrêter.

— Quoi? Mais vous êtes fous! Noah est l'un des deux élus. Il ne doit pas toucher à ce médaillon. La prophétie d'Amon prédit que…

— Oublie la prophétie! l'interrompt Gabrielle. Salvana, notre oracle… (La nécromancienne hésite, elle semble troublée.) Salvana prétend que Noah n'est pas l'élu dont parle la prophétie.

— Amon se serait trompé? Mais c'est impossible. Il est notre plus grand prophète!

– Amon n'a jamais précisé qui était l'élu. Nous avons tous présumé qu'il s'agissait de Noah, puisqu'il est le dernier descendant des Davidoff.

Gabrielle reste un instant silencieuse, puis plonge son regard dans celui de Mastermyr.

– Écoute-moi, fils, dit-elle sans sourciller : c'est Razan qu'il nous faut craindre. Il est beaucoup plus dangereux pour nous que ne l'est le jeune Davidoff. Voilà pourquoi nous devons remettre le médaillon à Noah, pour qu'il puisse contrôler Razan.

– Mais alors, tu veux dire que Razan…

Gabrielle acquiesce :

– Salvana affirme que c'est lui, le véritable élu de la prophétie.

9

Arielle fait un bond de plusieurs mètres, ce qui lui permet d'atteindre la scène.

Elle atterrit derrière Reivax et glisse la lame de son épée sous sa gorge.

– J'ai toujours rêvé de danser la valse, lui dit-elle dans le creux de l'oreille. Vous m'invitez?

– Quelle audace, quelle assurance! s'exclame le vieil alter. Tu as changé, Arielle Queen. Tu n'es plus la petite fille timide qui marchait tête baissée pour fuir le regard des autres.

– Le papillon a enfin quitté sa chrysalide, répond Arielle avec une voix qui ne ressemble en rien à la sienne.

Qu'est-ce qui m'arrive, se demande-t-elle. *Il y a quelque chose de différent en moi. Quelque chose... d'étranger.*

Les centaines d'alters réunis dans la salle de bal n'osent plus bouger. Un simple faux mouvement de leur part pourrait condamner Reivax. C'est la jeune élue qui a le contrôle de la situation maintenant. Si elle s'énerve, elle n'hésitera pas à trancher la tête de leur maître, ils en sont convaincus. Même le corbeau animalter de Nomis hésite à intervenir ; il a levé ses deux mains recouvertes de plumes en signe de capitulation.

– Geri ! Freki ! Occupez-vous de Jason et de l'oncle Sim ! ordonne Arielle du haut de la scène.

Reivax essaie d'échapper à la prise d'Arielle, mais celle-ci réagit immédiatement : elle appuie un court instant la lame incandescente de son épée contre la gorge de l'alter. Reivax grogne de douleur alors qu'une odeur de chair brûlée se répand dans l'air.

– Les lames fantômes pénètrent dans la chair comme dans du beurre, lui dit la jeune fille. Mais vous le savez mieux que moi, non ?

Comprenant qu'elle n'hésitera pas à le décapiter, Reivax renonce à lui résister.

– Tu ne pourras pas me tenir comme ça éternellement, Arielle !

– Ne vous inquiétez pas, Reivax. La petite fête va bientôt se terminer.

Brutal se charge de tenir les alters à distance. Il fait reculer les quelques téméraires qui essaient de s'approcher en les menaçant avec les mjölnirs de Jason.

– Je peux faire quelque chose pour vous aider ? demande soudain une voix de femme.

C'est Ael. Elle se trouve toujours au pied de la scène, aux côtés de Razan.

– Je peux te faire confiance ? lui demande Arielle.

– C'est grâce à moi s'ils se sont enfin décidés à ouvrir ces maudits coffres.

– Et ça prouve quelque chose ?

– J'ai pas envie de mourir, l'orangeade. Ils ne m'apprécient pas trop dans l'Helheim, depuis notre dernier voyage. Je ne veux pas finir mes jours dans un de leurs cachots glacials.

Arielle l'évalue pendant quelques secondes, puis s'adresse à son animalter :

– Brutal, donne-lui une épée.

– Mais… Arielle…

– Fais ce que je te dis. Nous avons besoin d'elle.

L'animalter obéit et lance sa propre épée fantôme à Ael.

– Et moi, princesse ? demande Razan.

Arielle le fixe avec mépris.

– Heureusement que Noah vit à l'intérieur de toi, répond-elle. Sinon, je te ferais enfermer dans un de ces coffres et je demanderais qu'on le jette dans le lac Croche, comme c'était prévu.

La jeune élue fait une pause, puis ajoute à l'intention de l'alter :

– Dépêche-toi : tu vas aider Ael à transporter Rose et Émile à l'extérieur.

– J'ai même pas droit à une petite dague fantôme ?

Arielle ne prend même pas la peine de lui répondre. Du menton, elle lui indique l'endroit où reposent ses amis. Razan acquiesce, puis, avec Ael, se dirige vers Geri et Freki, qui ont déjà commencé à s'occuper de Jason et de l'oncle Sim. Les dobermans réservent un accueil glacial à Razan. Celui-ci a un mouvement de recul lorsque les deux animalters grognent dans sa direction.

– Tout doux, les chiens…

Reivax, toujours captif d'Arielle, se met à ricaner.

– Le temps presse, jeune fille, lui dit-il. Mes alters ne se retiendront pas éternellement. N'oublie pas que ce sont des démons. Ils m'aiment bien, c'est vrai, mais ça ne les empêchera pas de me sacrifier s'ils jugent que c'est dans leur intérêt.

Arielle jette un coup d'œil aux autres alters. Ils se sont lentement regroupés et forment maintenant un groupe plus compact. Ils semblent s'être rapprochés de la scène depuis que Geri et Freki se sont déplacés vers Sim et Jason. Entre les alters et Arielle, il n'y a plus que Brutal et les mjölnirs qui continuent de faire obstruction. *Reivax a raison,* pense-t-elle. *Il faut se grouiller pour sortir d'ici, sinon je ne donne pas cher de notre peau.*

– Bande de poules mouillées ! s'écrie Reivax en direction des alters. Vous n'êtes pas dignes de servir notre seigneur Loki !

Arielle n'apprécie guère l'initiative du vieil alter, consciente qu'il agit ainsi pour fouetter ses troupes.

– Taisez-vous ! lui ordonne-t-elle après lui avoir brûlé la gorge une seconde fois avec son épée fantôme.

Mais ça ne suffit pas à calmer Reivax. Il poursuit sur le même ton :

– Qu'est-ce que vous attendez ? Dépêchez-vous de lui régler son compte, à cette petite impertinente !

– Mais elle va vous tuer!... déclare un alter dans le groupe. Vous êtes notre maître!

– Eh bien, vous en choisirez un autre! rétorque Reivax d'une voix implacable.

Les alters échangent des regards incertains. Finalement, l'un d'eux s'écrie:

– REIVAX A RAISON! ALLONS-Y!

– Arielle, qu'est-ce que je fais? demande Brutal, qui a de plus en plus de difficulté à refouler les alters.

Devant l'urgence de la situation, les dobermans et Ael abandonnent Sim et les amis d'Arielle et viennent se joindre à Brutal pour l'aider à contenir le flot d'alters qui se précipitent maintenant vers la scène. Du haut de celle-ci, Arielle suit la progression des alters. On dirait une immense vague noire. Une vague de tempête, sombre et menaçante, qui s'apprête à tout rafler sur son passage. *Elle va tous nous engloutir,* songe la jeune fille.

Reivax choisit ce moment pour lui asséner un coup de coude dans l'estomac. Arielle se plie en deux et recule; elle a le souffle coupé. Le vieil alter essaie de lui enlever son arme, mais elle ne se laisse pas faire: elle exécute un moulinet avec son épée et, d'un simple mouvement du poignet, lui tranche une main. Reivax émet une plainte, puis s'éloigne tout en tenant son moignon sanguinolent. Arielle voit Ael et les animalters qui luttent côte à côte pour empêcher les alters de rejoindre la scène. *Ils combattent pour moi,* se dit-elle, *pour empêcher que les alters ne me tuent. Tout ça parce que je suis l'élue de la prophétie.* L'adolescente brandit son épée et s'approche de la scène. Il n'est pas question qu'elle laisse ses amis se sacrifier pour une stupide prophétie qui remonte à des siècles. Elle est sur le point de sauter pour aller les rejoindre lorsqu'une main l'agrippe par l'épaule et la tire brusquement vers l'arrière. Elle perd l'équilibre et se retrouve au sol, sur le dos. Le corbeau animalter de Nomis se place au-dessus d'elle. Sous sa botte, il emprisonne la main d'Arielle, celle qui tient l'épée.

— Je te croyais plus forte que ça, déclare l'animalter.

Après avoir émis un croassement aigu, il lève son épée et se prépare à l'abattre sur Arielle. Mais il n'a pas le temps d'achever son mouvement; il est transpercé de part en part par une autre épée fantôme. Les yeux écarquillés, à la fois par la douleur et par la surprise, le corbeau finit par s'écrouler sur le sol, aux côtés d'Arielle. Il laisse ainsi voir Razan, qui se trouvait tout juste derrière lui. L'alter se tient maintenant debout devant l'élue. La lame de l'épée fantôme qu'il tient dans sa main a pris une teinte violacée lorsqu'elle s'est mêlée au sang du corbeau animalter.

— Je me suis finalement trouvé une arme, dit-il à Arielle avec un sourire complice. Pratique, non ?

La jeune fille examine brièvement le corbeau : figé par la mort, le bec de l'animal demeure ouvert, et une espèce de bave visqueuse s'en échappe. Elle souhaite s'en éloigner au plus vite. Razan lui tend une main pour l'aider à se relever, mais elle refuse son aide et se relève toute seule.

– D'accord, princesse, lui lance Razan, tu me remercieras plus tard.

Sans un regard pour l'alter, Arielle retourne vers la scène et s'apprête une nouvelle fois à rejoindre ses compagnons lorsqu'un bruit étrange résonne au-dessus d'elle.

– Ça vient de l'extérieur, déclare Razan en levant les yeux vers le plafond de la salle de bal.

Le bruit se fait entendre de nouveau. Arielle réalise qu'il lui est familier ; elle a déjà entendu quelque chose de semblable quelque part. On dirait le grognement d'une bête. Cela lui fait craindre le pire.

– Un troll, fait Razan.

Arielle se tourne immédiatement vers l'alter. *Il a bien dit « un troll » ?* La jeune fille sait maintenant où elle a entendu ce bruit. C'était durant son séjour dans le Galarif, la prison de l'Helheim.

– Dans l'Helheim, les trolls ont été réduits à l'esclavage par les alters, explique Razan. Mais les rares spécimens qui vivent encore sur la Terre servent d'infanterie lourde aux elfes noirs.

– Tu veux dire qu'il y a des elfes noirs à l'extérieur ?

Le garçon n'a pas le temps de répondre. Un poing gigantesque, de la largeur d'une patte d'éléphant, transperce le plafond de la salle de bal dans un bruit fracassant. C'est un poing de troll, à n'en pas douter ; il n'a pas seulement la taille d'une patte d'éléphant, il en a aussi l'apparence : la peau des trolls est grise et sèche, se souvient Arielle, comme celle des pachydermes. Un second coup déchire le plafond : cette fois, des débris du toit et de la structure s'abattent sur les alters ainsi que sur les compagnons d'Arielle. S'enchaînent ensuite d'autres grognements puis d'autres coups de poing. Le plafond est traversé à plusieurs endroits. Par les ouvertures s'infiltrent des dizaines et des dizaines de sylphors, munis d'arcs et de flèches elfiques.

Entre deux chutes de débris, on entend la voix râleuse de Brutal qui s'élève du pied de la scène :

— Je déteste les elfes…

10

Gabrielle aperçoit enfin une lueur en bas des escaliers; l'entrée de la cave n'est plus très loin.

La nécromancienne est toujours en tête. Elle est suivie de Mastermyr et d'Elizabeth, qui descendent les escaliers quatre à quatre.

– Comment Razan pourrait-il être l'élu de la prophétie ? lui demande Mastermyr. Ça ne tient pas debout, mère !

– Je t'ai seulement répété ce que Salvana a dit. Salvana est l'oracle de Lothar, et elle se trompe rarement. La preuve, c'est qu'elle est encore vivante. Lothar n'apprécie pas les incompétents.

– Mais Razan n'est pas humain ! C'est un alter !

– Il y a des démons qui sont encore plus humains que les humains eux-mêmes, mon fils. Le contraire est aussi vrai : je connais des humains qui sont encore plus démoniaques que les démons.

– Tu fais allusion à Noah Davidoff ?

– L'histoire des Davidoff est empreinte de mystère, tu le découvriras un jour.

Dès qu'ils quittent l'escalier et pénètrent dans la cave du manoir, le sol et les parois rocheuses se mettent à trembler.

– Qu'est-ce qui se passe? lance Mastermyr en ralentissant le pas.

– Ce sont les renforts qui arrivent, l'informe Gabrielle. Surtout, ne vous arrêtez pas!

La nécromancienne prend son fils par le bras et l'entraîne à sa suite. Elizabeth les suit de près. Ils traversent un premier couloir, puis arrivent à un embranchement. Ils se retrouvent face à deux corridors sombres, creusés dans la pierre, qui mènent à deux endroits différents. L'un descend vers les profondeurs de la terre tandis que l'autre monte vers la surface.

– Suivez-moi, dit Gabrielle en choisissant le chemin de gauche, celui qui descend.

Mastermyr et Elizabeth s'élancent derrière elle. Le sol ainsi que les parois de la galerie souterraine continuent de gronder autour d'eux, ce qui provoque des éruptions de poussière le long de leur parcours. Au bout d'une minute, l'entrée de la salle du coffre apparaît enfin devant eux.

– Nous y voilà, annonce Gabrielle en s'avançant dans la pièce.

La salle du coffre est une grande pièce rectangulaire, au plafond haut et courbé. Son plancher et ses murs sont faits d'un marbre clair. Une demi-douzaine de torches disposées à intervalles réguliers sur les murs latéraux servent d'éclairage. Sur le mur du fond se trouve la porte scellée du coffre-fort. Elle est haute et large. Il n'y a aucune serrure apparente. Sa surface est lisse et dorée. On dirait presque de l'or.

– Tu as parlé de renforts, mère, demande Mastermyr en pénétrant à son tour dans le lieu clos, de qui s'agit-il?

– Lothar est ici, explique Gabrielle tout en marchant vers le coffre-fort. Il a réveillé Ermidas, le troll des montagnes du nord, et l'a obligé à accompagner les sylphors jusqu'à Belle-de-Jour.

De nouveaux tremblements secouent la salle.

– C'est le troll qui fait ça? demande Elizabeth, de nouveau entourée par la poussière.

Gabrielle répond par l'affirmative, mais sans se retourner. Toute son attention est dirigée vers la porte scellée du coffre-fort.

– C'est bien ce que je pensais, il n'y a aucun champ de force, dit-elle tout en caressant la surface de la porte avec ses mains. Je crois que j'arriverai à la traverser. Écartez-vous!

Mastermyr et Elizabeth se reculent d'un pas.

«*Alio viaticas locas!*» lance ensuite Gabrielle. L'effet est immédiat: la femme se dissout de la tête aux pieds, sous les regards ahuris du sylphor et de la kobold. En une fraction de seconde, le corps de la nécromancienne s'est morcelé et a complètement disparu, comme s'il avait été dispersé par le vent.

– Elle est passée de l'autre côté, affirme Elizabeth.

Mastermyr ne dit rien. Son regard est toujours fixé sur la porte. Elizabeth et lui patientent en silence, jusqu'à ce que la jeune kobold se décide à parler:

105

— Je te demande pardon, dit-elle en tournant la tête vers le sylphor.

Elle cherche à rencontrer son regard, mais Mastermyr ne bouge pas.

— Je regrette vraiment beaucoup, tu sais, poursuit-elle. Pour Saddington, je veux dire…

Cette fois, Elizabeth a réussi à attirer son attention. Mastermyr se tourne brusquement vers elle. D'un mouvement vif, il emprisonne sa gorge de sa main puissante. Une lueur malveillante brille dans son regard lorsqu'il déclare :

— Il me suffit de serrer juste un peu pour te broyer la gorge.

L'adolescente ne résiste pas. Elle cherche même à lui parler :

— Emmanuel…

— Je ne suis PLUS Emmanuel ! rétorque Mastermyr en serrant un peu plus fort.

— Je… je t'aime…

Le sylphor n'a fourni qu'un faible effort pour soulever la jeune fille de terre. Celle-ci est maintenant suspendue, sans air, au bout de son bras musclé. Mastermyr l'examine avec curiosité, comme s'il s'agissait d'une vulgaire bestiole, capturée au hasard d'une promenade. Au bout d'un moment, une grimace de dédain se dessine sur ses traits.

— Tu me fais pitié, dit-il avant de se débarrasser de la kobold.

Il la projette au sol, avec un désintérêt total. Elizabeth roule dans la poussière. Après quelques secondes, elle se relève péniblement.

– Je t'aime, répète-t-elle, en larmes. Dès le premier jour, je t'ai aimé. Dans l'autobus qui nous ramenait à la maison, tu te souviens? Ce jour-là, tu m'as dit que ta grand-mère et toi aviez quitté la ville pour emménager à Belle-de-Jour. Tu m'as dit que tu avais dû changer d'école parce que des démons voulaient te tuer...

– Tu ne comprends vraiment rien, pas vrai? répond Mastermyr, exaspéré. Ce garçon-là, c'était Emmanuel Queen. Mais Emmanuel Queen est mort. Tout comme Gabrielle Queen est morte. Et toi aussi, Elizabeth Quintal, tu es morte. Accepte-le, kobold: tu es dans la bande des méchants maintenant. Tu fais partie des forces obscures, alors arrête de pleurer et de dire que tu m'aimes. Tu ne peux pas aimer, ce n'est plus dans ta nature. Ce sont les souvenirs de ton ancienne vie d'humaine qui te corrompent l'esprit.

C'est ce moment que Gabrielle choisit pour réapparaître. Son corps se matérialise entre Mastermyr et Elizabeth. Dans ses mains, elle tient avec fierté le médaillon demi-lune de Noah. Il est de couleur argentée, et sur sa surface lustrée se reflètent les lumières de la pièce.

– Forgé par Loki lui-même, déclare finalement la nécromancienne sans pouvoir détacher son regard du bijou.

Il brille dans la pénombre et sa splendeur leur impose à tous un instant de silence.

– Qu'est-ce qu'on fait maintenant? demande Mastermyr.

Gabrielle range le médaillon dans la poche intérieure de sa veste.

– Nous ne pourrons pas le remettre à Noah tout de suite, explique-t-elle. Seulement à notre retour du Canyon sombre.

– Tu ne m'as toujours pas dit comment nous allons nous rendre là-bas.

La nécromancienne conduit Mastermyr et Elizabeth à l'extérieur de la salle du coffre, tout en les forçant à presser le pas.

– Nous allons emprunter le jouet favori de Reivax. Un avion hypersonique appelé le *Danaïde*.

– Et qui va le piloter ? Toi ?

– Il y a des mois que Lothar prépare cette opération. Il ne m'a pas seulement fait mémoriser les plans du manoir, il m'a aussi fait suivre des cours de pilotage. Il veut que nous nous emparions du *Danaïde*, et que nous le lui remettions après notre petite expédition au Canyon sombre.

– Et pourquoi il faut se presser autant ? l'interroge Mastermyr.

– Le fait qu'Arielle a délivré Jason Thorn de la fosse indique que le *vade-mecum* l'intéresse autant que nous, et qu'elle tentera de le récupérer avec l'aide du jeune fulgur.

La nécromancienne ajoute que Jason est le descendant du seul humain qui ait jamais su où se trouvait le Canyon sombre. John Thorn, son ancêtre, était non seulement un puissant chevalier fulgur, mais également un explorateur passionné, doublé d'un excellent cartographe. Il est presque arrivé à conduire Jezabelle Queen et Frederick Davidoff au Canyon sombre en 1843, mais ils ont été arrêtés par une patrouille de sylphors juste avant d'atteindre l'entrée du repaire. La route secrète menant au Canyon sombre est gravée dans la mémoire de Jason, ajoute Gabrielle. Tous les descendants de John Thorn se sont transmis cette information. Mais, avec le temps, le souvenir s'est atténué. Jason sait que le plan de la route se trouve quelque part en lui, mais il ne sait pas comment y accéder. Lothar a bien essayé de l'éliminer pendant sa détention, sachant qu'il était en possession de cette information vitale, mais le jeune chevalier était sous la protection des Walkyries. Celle qui a veillé sur lui dans la fosse était particulièrement puissante. Pas assez pour le faire évader, mais suffisamment pour empêcher qu'on lui fasse du mal.

Gabrielle s'interrompt lorsqu'ils arrivent tous les trois à l'embranchement. Elle leur indique le chemin de droite, celui qui monte.

– Cette galerie mène à un hangar secret, lequel se trouve sous les jardins du manoir. C'est là-bas qu'ils cachent le *Danaïde*.

– Ingénieux, fait Mastermyr tout en s'engageant le premier dans le couloir. Tu viens? demande-t-il en tendant une main vers Elizabeth.

Qu'est-ce qui lui prend? Serait-ce enfin un signe de sympathie? Elizabeth hésite un moment avant de tendre la main en direction du sylphor. Un bref sourire de satisfaction illumine son visage alors qu'elle s'avance vers lui. Mastermyr semble s'en offusquer. Au lieu de prendre sa main dans la sienne, il agrippe son poignet et la tire violemment à lui.

– Tu n'as pas retenu la leçon, on dirait ! crache-t-il en serrant les dents. Tu es une kobold, idiote ! Une simple esclave ! Et moi, je suis un sylphor voïvode. Les voïvodes ne fraternisent pas avec les esclaves ! Je ne veux plus jamais voir ta sale patte d'animal se tendre vers moi !

– Mais je croyais…

Mastermyr la gifle aussitôt.

– Ne réplique pas ! Ne réplique *jamais* !

Le sylphor éclate de rire, puis relâche Elizabeth.

Il joue avec moi, se dit la jeune fille. Son poignet lui fait mal ; elle le masse pour chasser la douleur. *Ça l'amuse de me voir souffrir. Pourquoi je l'aime, alors ? Pourquoi suis-je amoureuse d'un monstre ? Peut-être parce que j'en suis devenue un, moi aussi.*

Mastermyr tend de nouveau la main, mais cette fois en direction de Gabrielle.

– Alors, tu viens, mère ? lance-t-il à la nécromancienne, tout en adressant un sourire mesquin à Elizabeth. J'ai hâte de voir cet engin hypersonique.

11

*Arielle et Razan se trouvent tou-
jours sur la scène et assistent sans
bouger à l'invasion des elfes.*

Ils semblent dépassés par les événements. Il
y a quelques instants à peine, ils luttaient contre
les alters, et voilà qu'ils doivent se préparer à
combattre toute une armée de sylphors. Ces
derniers sont d'ailleurs de plus en plus nombreux à s'introduire dans la salle de bal grâce
aux ouvertures laissées par le poing du troll. Ils
surgissent par centaines, de façon torrentielle,
comme si une conduite d'eau avait cédé et qu'un
flot incessant se déversait par le plafond troué.

Arielle baisse les yeux sur sa robe rouge. Elle
ne pourra pas se battre convenablement avec ça
sur le dos. Son uniforme se trouve toujours dans
le petit salon, en face de la salle de bal.

Si au moins je pouvais…

Étonnamment, cette seule pensée suffit
à modifier l'allure de sa robe. Le vêtement se
transforme lentement sous les yeux ébahis
d'Arielle. La robe commence par se serrer sur

elle – comme si elle souhaitait prendre les mesures de son corps – , puis finit par se relâcher. La jeune fille lève les bras, impuissante à stopper cette métamorphose, qui est tout aussi étrange que soudaine.

Qu'est-ce qui se passe? se demande-t-elle alors qu'une dizaine de sylphors atterrissent sur la scène. Razan s'élance vers eux et croise le fer avec les premiers qui s'avancent vers lui. L'alter se débarrasse de ses adversaires en quelques coups de lame.

– Allez! venez! crie-t-il en direction des autres elfes. Venez vous amuser avec le capitaine Razan, chef de la garde personnelle du seigneur Loki!

Arielle demeure immobile. Le bas de sa robe se divise en deux parties égales, qui s'allongent et s'enroulent autour de ses cuisses. Elles ne tardent pas à recouvrir ses jambes totalement. Le corsage prend lui aussi de l'expansion et s'étire jusque sur ses épaules puis sur ses bras. Pendant la transformation, le rouge du tissu s'assombrit graduellement. Il passe du rouge au bleu, puis du bleu au mauve et, enfin, du mauve au noir. Arielle réalise que le cuir de ses escarpins recouvre maintenant ses pieds et ses chevilles, et monte jusqu'à ses mollets. Ce ne sont plus des escarpins qu'elle porte à présent, mais des bottes. Un large ceinturon où sont logés des dizaines d'injecteurs acidus se boucle comme par magie autour de sa taille. Un fourreau servant à loger une épée fantôme y apparaît également. La transformation se termine lorsqu'un long manteau de cuir se pose sur ses épaules et l'enveloppe complètement.

Un uniforme alter, songe Arielle en examinant son nouvel habillement. *Ma robe s'est changée en uniforme alter, par la seule force de ma volonté!* Elle n'arrive pas à y croire. Mais d'où lui vient ce pouvoir? Elle ne soupçonnait même pas qu'elle le possédait. Mais peut-être n'en a-t-elle hérité que tout récemment?

«*Le papillon déploie ses ailes et prend son envol*», dit une voix à l'intérieur de l'adolescente.

Arielle lève les yeux vers Razan, qui a engagé le combat avec trois autres elfes. Entre deux attaques, l'alter de Noah lui lance un regard étonné.

– Invocation d'uniforme! lui crie Razan, qui ampute un elfe après en avoir transpercé un autre. À ma connaissance, il n'y a qu'une seule autre personne qui en soit capable!

– Qui? demande Arielle.

– Moi! répond Razan en lui souriant.

L'instant d'après, le smoking de Razan se décompose et prend lui aussi l'apparence d'un uniforme alter – mais beaucoup plus rapidement que la robe d'Arielle cependant. *Peut-être parce qu'il en a l'habitude*, suppose la jeune fille.

Razan se dépêche de venir la retrouver. Les sylphors se lancent à sa poursuite.

– Noah ne m'a jamais dit qu'il pouvait faire ça! dit Arielle en se préparant au combat.

– J'ai parlé de Noah? rétorque Razan, qui paraît vexé. Cette transformation sur demande, c'est mon truc à moi! À nous! ajoute-t-il avec un clin d'œil.

Tous deux se placent côte à côte et parviennent aisément à se débarrasser des elfes qui foncent sur eux. *Ràzan manie l'épée avec une agilité surprenante*, observe Arielle. *Aucun sylphor ne peut lui résister bien longtemps.*

Une fois que Razan a éliminé le dernier elfe, Arielle se met à chercher Reivax des yeux. Le corps du corbeau animalter se trouve toujours sur la scène, mais aucune trace du maître de Bombyx. Il a disparu.

– On forme une sacrée équipe! lance Razan alors que d'autres sylphors se posent devant eux. Cette fois, les elfes ne sont pas armés que d'épées; ils ont aussi des arcs et des flèches elfiques.

– Nous deux, une équipe? Tu te trompes, démon! déclare Arielle en sautant en bas de la scène.

La chute est courte: épée bien en main, l'élue touche le sol entre deux noyaux de combattants. Partout dans la salle de bal, les alters et les sylphors s'affrontent dans une lutte sanguinaire. *Les elfes noirs sont beaucoup plus nombreux*, note-t-elle. *Ils viendront rapidement à bout des alters de Reivax.* Ensuite, ce sera à elle et à ses compagnons de combattre les sylphors. Mais Arielle est réaliste: ils ne tiendront pas longtemps. Leur faudra-t-il fuir, encore une fois? La jeune fille se souvient alors de ce que lui a dit son ancêtre, Jezabelle, à propos du *vade-mecum*: «Ça sera à toi de le récupérer, Arielle. C'est essentiel à ta victoire. Grâce à ce livre, tu pourras vaincre des armées entières.»

Vaincre des armées entières? se répète-t-elle. *Mais comment est-ce possible? Ce n'est vraiment pas le moment de se questionner*, décide-t-elle enfin. À coups d'épée, elle se fraie un chemin à travers les alters et les sylphors, et parvient à rejoindre Ael et les animalters, lesquels se sont rassemblés autour de ses proches afin de les protéger. Arielle est soulagée de voir que Sim, Jason, Rose et Émile vont bien, même s'ils sont toujours inconscients. Elle remercie Ael et les animalters de s'être portés à leur secours, mais se demande en même temps qui s'occupera de protéger les autres habitants endormis de Belle-de-Jour, ceux que les alters ont entassés dans un coin, à l'autre extrémité de la salle.

– Faut sortir d'ici ! lance Brutal en voyant que plusieurs elfes ont remarqué leur présence.

– Le minet a raison, renchérit Geri. Les alters seront bientôt battus.

– Mais d'où viennent tous ces sylphors ? demande Freki qui a levé les yeux vers le plafond pour observer les elfes qui continuent de pénétrer par centaines dans la salle de bal.

Arielle réfléchit un instant, puis s'adresse à Ael :

– Le *Danaïde* est réparé ? lui demande-t-elle.

L'avion hypersonique a été endommagé par les sylphors, quelques jours auparavant, alors qu'Arielle et ses compagnons revenaient de leur expédition à la fosse nécrophage d'Orfraie.

– Oui, répond Ael, j'ai entendu dire qu'ils avaient remplacé le turboréacteur défectueux. Tout fonctionne à la perfection maintenant.

– Parfait, dit Arielle. Prends les dobermans avec toi, et sortez Jason d'ici.

– Seulement Jason ?

— Brutal et moi, nous nous occuperons de Sim et des autres. Écoute-moi bien, Ael: j'ai besoin d'un objet, d'un livre, qui se trouve dans le Canyon sombre.

Arielle doit-elle lui spécifier qu'il s'agit du *vade-mecum* des Queen? *Non, ce n'est pas nécessaire,* juge-t-elle.

— Le Canyon sombre? répète Ael. Mais c'est un repaire de sylphors!

— Je sais, mais il est vide en ce moment. Souviens-toi: les sylphors du Nouveau Monde ont été vaincus, ici même, il y a quelques jours. Tu y étais, tu as participé à la bataille.

En effet, Falko a réuni tous ses elfes noirs ici, au manoir Bombyx, pour attaquer et éliminer les alters de Belle-de-Jour. Mais Reivax leur a tendu un piège, dans lequel ils sont tombés. Les alters ont finalement remporté la victoire, éradiquant presque tous les sylphors d'Amérique. Seul Mastermyr a survécu.

— Tu dois te rendre dans leur repaire et me ramener ce livre, poursuit Arielle. C'est notre seule chance de vaincre les sylphors de l'Ancien Monde, et de les chasser de Belle-de-Jour.

— Je n'ai aucune idée de l'endroit où se trouve ce Canyon sombre.

— C'est pourquoi tu dois amener Jason, répond l'élue. Il est le seul à savoir où se trouve le repaire.

En tout cas, c'est ce qu'avait prétendu Abigaël, sa grand-mère, dans le songe où Arielle s'était retrouvée en 1945: «Lui seul sait où se trouve le *vade-mecum* des Queen. C'est le livre qui te permettra d'invoquer les ancêtres de notre lignée. Tu en auras besoin pour vaincre les démons. » Jason a plus tard confirmé que c'était bel et bien la vérité, peu après qu'Arielle l'eut délivré de sa prison dans la fosse d'Orfraie.

– Et comment on fait pour le récupérer, ton fameux livre ? Il doit être bien gardé s'il est aussi précieux que tu le dis.

– Il est enfermé dans un coffre-fort, explique Arielle, en plus d'être protégé par un champ de force.

Ael hausse un sourcil.

– C'est tout ? fait-elle avec son ironie habituelle. Pas de caméras ? De détecteurs de mouvements ? De chiens de garde ? Pas la moindre petite sentinelle ?

– Le repaire est inoccupé, lui rappelle Arielle. Vous ne rencontrerez aucune résistance là-bas. Trouver le coffre, l'ouvrir et neutraliser le champ de force seront les seules difficultés que vous aurez à surmonter.

– C'est déjà pas mal, si tu veux mon avis.

– Faut se dépêcher ! lui conseille Arielle. Il n'y a plus de temps à perdre.

– Attends, fait Ael, et pourquoi je vous aiderais ?

– Parce que tu as besoin d'amis, réplique Arielle. Les alters veulent ta peau, tout autant que les sylphors. Sans parler de Loki et de Hel, qui sont sûrement enchantés que tu les aies trahis dans l'Helheim. Ils te réservent certainement une place de choix dans les cachots du Galarif. En fait, Ael, tu n'as plus que nous. Prends ta décision, et vite.

Ael n'a pas le temps de réfléchir bien long-temps. Chaque seconde compte, elle en est consciente. Autour d'eux, les alters se font de moins en moins nombreux, contrairement aux sylphors dont le nombre ne cesse d'augmenter.

— D'accord, dit-elle finalement.

Brutal demande à Geri et à Freki de relever Jason. Les dobermans agrippent le garçon chacun de leur côté et le remettent debout. Brutal retire son ceinturon contenant les mjölnirs et le boucle autour de la taille de Jason, par-dessus son pan-talon de soirée. Le jeune chevalier ne réagit pas ; il demeure inconscient.

— Voilà, je te rends tes marteaux, déclare l'animalter. De sacrées armes, mon gars !

Brutal débarrasse ensuite Jason de son veston, relève les manches de sa chemise et lui passe les gants de métal aux mains, afin qu'il puisse manipuler les mjölnirs une fois qu'il sera éveillé.

— Allons-y ! lance Ael en voyant que tout le monde est prêt.

Elle fait signe aux dobermans de la suivre.

— Je connais un passage secret qui mène directement au hangar souterrain du *Danaïde*.

Geri et Freki s'élancent à sa suite, tout en transportant Jason avec eux. Tous les quatre se faufilent entre les alters et les sylphors, puis disparaissent derrière la scène, celle où se tenaient Arielle et Razan quelques instants plus tôt.

— Bonne chance ! leur souhaite Arielle, même s'ils ne peuvent plus l'entendre. Et surtout, revenez vite !

La jeune fille se rapproche de Brutal. Tous les deux se placent côte à côte, de façon à s'interposer entre les sylphors et Sim, Rose et Émile.

— C'est un miracle si on tient plus de trente secondes, laisse tomber Brutal en voyant s'approcher les elfes. Merde, ils se ressemblent tous! ajoute l'animalter alors qu'une vingtaine de sylphors au crâne lisse et aux oreilles pointues s'avancent lentement vers eux.

Ils n'ont pas plus de quinze ou seize ans, songe Arielle, *du moins en apparence.* Ils ont la même peau blême, presque translucide, et leurs vêtements, bien que différents, les font tous ressembler à de jeunes rebelles. Les uns après les autres, les elfes choisissent de ranger leurs arcs et leurs flèches et de dégainer leurs épées fantômes. Précédés de leurs armes, les vingt sylphors marchent d'un pas lent mais assuré, tout en affichant le même air menaçant.

— C'est l'élue de la prophétie, fait l'un d'eux, qui a reconnu Arielle.

— Tu veux son autographe? lance Brutal sur un ton de défi.

— Prépare tes injecteurs acidus, lui murmure Arielle.

Elle-même en retire quelques-uns de son ceinturon. Habituellement, les elfes noirs sont tous équipés d'une armure protège-cœur. Cela leur sert à se prémunir contre les épées et les flèches qui ont été trempées dans des larmes d'elfes de lumière. La seule façon de percer ces armures est d'utiliser contre elles des injecteurs acidus. «Injecteurs lacrymaux acidus» est leur véritable nom. Ils ressemblent à des petits cylindres en argent, longs d'une quinzaine de centimètres, et leur embout rétractable dégage une petite quantité d'acide qui permet de percer des matières solides, comme le métal. Dès qu'il entre en contact avec un protège-cœur, le bout de l'injecteur dégage de l'acide qui ouvre un passage dans le métal de l'armure. Une aiguille surgit alors de l'embout et se plante dans le cœur du sylphor. Les larmes d'elfes de lumière, contenues dans le cylindre, sont alors injectées dans le cœur, puis se propagent dans le corps tout entier, ce qui empoisonne immédiatement le sylphor et le fait se décomposer en quelques secondes.

Les elfes noirs se rapprochent de plus en plus.

— On aurait dû partir avec Ael et les caniches, dit Brutal.

— Et laisser tous ces gens?

— J'aurais pu transporter l'oncle Sim. Les caniches se seraient occupés de Jason et d'Émile. Toi et Ael, vous auriez pu vous charger de Rose.

— Il n'y pas qu'eux, Brutal, répond Arielle. Il y a les autres habitants de Belle-de-Jour: Juliette, les parents de Noah. On ne peut pas les abandonner ici.

— Je comprends… mais c'est pas en se faisant tuer qu'on les aidera davantage.

À moins de trois mètres devant eux, les jeunes sylphors qui ont entendu se mettent à rire. Résonne alors un puissant bruit au fond de la salle, et toute la pièce se met à trembler. Deux énormes poings gris traversent le mur du fond, qui s'écroule aussitôt que les poings font marche arrière et se retirent. *Le troll*, se dit Arielle. Les deux poings poursuivent leur travail de démolition jusqu'à ce que le mur ait complètement disparu et qu'une partie du toit soit arrachée. Après s'être lui-même ouvert un passage, l'immense troll pénètre dans la salle de bal d'un pas nonchalant. Il avance sans but précis, lançant des regards vides autour de lui. Au commandement des elfes, il abat ses poings lourds sur les alters qui croisent son chemin.

Pour les troupes de Reivax, c'est la débâcle totale. Bientôt, plus aucun alter ne tient debout. Partout dans la salle de bal, Arielle ne voit plus que des elfes. N'ayant plus d'alters à combattre, les sylphors se sont peu à peu rassemblés autour d'elle et de Brutal. La jeune fille et l'animalter sont rapidement encerclés par leurs ennemis, et le cercle ne tarde pas à se resserrer de façon inquiétante autour d'eux. Il y a quelques jours, ici même au manoir Bombyx, les elfes du Nouveau Monde ont subi une écrasante défaite. Les alters, beaucoup plus nombreux, les ont vaincus. Aujourd'hui, la situation est inversée : ce sont les elfes qui ont l'avantage du nombre et qui ont battu facilement les alters. Lors de leur dernière victoire, les alters de Reivax s'étaient débarrassés de Falko, le chef des elfes du Nouveau Monde. Il est donc à prévoir que les frères sylphors de Falko, originaires de l'Ancien Monde, chercheront à obtenir vengeance. *Si l'opération de ce soir a un objectif*, songe Arielle, *c'est probablement celui-là.* Mais les sylphors ont-ils réussi à capturer le maître de Bombyx ? Si c'est le cas, que vont-ils en faire? L'éliminer sans pitié, comme les alters ont éliminé Falko? Cela ne fait aucun doute dans l'esprit de la jeune élue.

Arielle lève les yeux vers la scène et aperçoit Razan. Il est toujours là-haut et fait face à un sylphor. Un *très* grand sylphor. *Il fait au moins deux mètres,* se dit l'adolescente. Il paraît plus costaud et plus âgé que ses semblables. Il porte des vêtements sombres, qui ressemblent à une armure, et son œil droit est recouvert d'un cache-œil de pirate. *Sans doute le chef,* suppose Arielle. Razan brandit son épée et engage le combat avec le grand sylphor. Malgré son extraordinaire puissance, il n'est pas de taille. L'elfe et lui ont de bons échanges, mais chaque fois c'est Razan qui finit par se replier. Il se tient au bord de la scène maintenant. Le grand sylphor ne tardera pas à l'en évacuer. Razan a beau essayer de conserver son équilibre, les puissantes attaques de son adversaire le forcent à reculer une fois de plus, une fois de trop. Son pied ne rencontre que le vide. Il s'apprête à tomber lorsque le sylphor l'agrippe par son manteau et le projette au loin, avec une facilité déconcertante. Razan retombe tout près d'Arielle et de Brutal.

— Aïe… C'est un coriace, celui-là, souffle Razan en essayant de se relever.

Il n'y parvient qu'au bout de plusieurs tentatives. La chute a été pénible; l'alter a l'impression que tous ses os se sont brisés. Il ne reçoit aucune aide de la part d'Arielle ni de Brutal, qui continuent d'évaluer la situation tout en préparant leurs armes; de violents assauts sont à prévoir.

Razan se joint à eux, tout en boitant. Ils sont trois maintenant. Trois contre des centaines de sylphors. Sans parler du troll, et du grand elfe, leur chef, qui pourrait à lui seul battre tout un régiment d'alters.

– Qui est-ce? lance Arielle en désignant le grand sylphor au bandeau de pirate.

– C'est Lothar, répond Razan. Le pire cauchemar de Reivax. Et de tous les alters. On dit que même les dieux le craignent.

– Génial, fait Brutal sur un ton las.

Le découragement gagne aussi ses deux compagnons.

– On a une chance de s'en sortir? demande Arielle.

Razan ne prend même pas la peine de réfléchir.

– Pas vraiment, soupire-t-il.

– Alors, on doit abdiquer?

L'alter acquiesce, bien malgré lui:

– C'est une option à considérer, si tu souhaites dépasser l'adolescence.

Arielle s'inquiète plutôt pour son oncle et ses amis. Que leur feront subir les elfes si elle décide de se rendre ou, au contraire, de poursuivre le combat? Et quel sort réserveront-ils aux habitants de Belle-de-Jour? *Razan a raison*, se dit-elle. Vaincus, ils le seront, c'est certain. Les elfes sont trop nombreux et, à lui seul, leur troll pourrait les tuer tous les trois d'un seul coup de poing. Les sylphors seraient alors libres de faire ce qu'ils veulent de Sim, de Rose et d'Émile ainsi que des autres habitants de la ville. Le sacrifice d'Arielle et de ses compagnons aurait été vain. Vivants, ils pouvaient toujours tenter quelque chose pour aider leurs amis, mais, morts, ils n'étaient d'aucune utilité à personne.

À la demande de Lothar, le troll traverse la salle de bal et s'approche lentement d'Arielle, de Brutal et de Razan. Chacun de ses pas fait vibrer le sol et ce qui reste des murs. Le monstre s'arrête finalement devant Arielle, qui tient toujours son épée fantôme d'une main et les injecteurs acidus de l'autre. Admettant à contrecœur que la lutte est vaine, la jeune fille décide de laisser tomber ses armes. Brutal jette un coup d'œil à sa maîtresse avant de l'imiter. L'épée et les injecteurs argentés de l'animalter vont rejoindre ceux d'Arielle sur le sol. Ne reste plus que Razan ; il est le seul de leur petit groupe qui demeure armé.

– Allez, capitaine Razan ! lui lance Lothar du haut de la scène. Il est temps d'abandonner ! À moins que tu ne préfères retourner dans l'Helheim ? Mais nous savons tous que Loki n'est pas aussi indulgent que moi...

Razan baisse la tête. Le sylphor a raison : Loki ne le laissera jamais revenir dans l'Helheim. Il a échoué et, pour le dieu du mal, l'échec est impardonnable.

– Fallait que je revienne dans ce monde pourri, murmure Razan en serrant les mâchoires. Qu'est-ce que j'ai bien pu faire aux dieux pour mériter ça ?

L'alter finit par lâcher son épée et se tourne vers Arielle.

– C'est terminé..., dit-il.

– Que vont-ils faire de mes amis et des habitants de Belle-de-Jour ? lui demande Arielle.

Razan observe les elfes autour de lui avant de répondre :

– Ils vont les assimiler.

12

*Le trajet entre l'embranchement
et le hangar souterrain s'effectue
sans encombre.*

Ils ne croisent aucun garde dans les
couloirs, pas plus que devant l'entrée du hangar. L'endroit est vide, il a été déserté. Gabrielle
se téléporte de l'autre côté du portail sécurisé et
neutralise le système de verrouillage des portes.
Une fois celles-ci ouvertes, Elizabeth et Mastermyr pénètrent dans le hangar et rejoignent
la nécromancienne. L'adolescente est étonnée
de voir à quel point l'abri souterrain est vaste,
cela lui donne presque le vertige. L'intérieur du
hangar est aussi long et large qu'un terrain de
football, et le plafond est tellement haut qu'elle
a peine à le distinguer. L'éclairage provient
de projecteurs fixés à l'extrémité de poutres
hautes de plusieurs mètres, disposées à intervalles réguliers autour du hangar. Au centre
de celui-ci, Elizabeth aperçoit enfin le fameux
Danaïde qu'a mentionné Gabrielle. L'appareil
repose sur une plate-forme surélevée. Il est noir

et de forme allongée. La jeune fille trouve qu'il ressemble à un modèle réduit du *Concorde*, l'avion supersonique français, sauf pour ce qui est des ailes : si elle a bonne mémoire, celles du *Concorde* sont fixes, alors que celles du *Danaïde* semblent pouvoir se déployer puis se replier à volonté. Les turboréacteurs sont situés devant les ailes et paraissent mobiles, eux aussi. Autour de la plate-forme sont regroupés des engins qui servent à l'entretient de l'appareil. Elizabeth se souvient du jour où son père l'a conduite à l'aéroport national, pour voir atterrir les avions. Il lui a alors parlé des véhicules de service que l'on trouve sur le tarmac et dans les hangars. Grâce aux descriptions de son père, elle reconnaît certains de ces équipements autour du *Danaïde* : il y a un tracteur de piste, qui sert à déplacer les avions, et un camion avitailleur, qui sert à les approvisionner en carburant. Elle remarque aussi un groupe électrogène et un camion muni d'une nacelle élévatrice, pour les réparations et l'entretien en hauteur. Il y a aussi un escalier d'accès ainsi que différents convoyeurs, qui servent à déplacer les pièces lourdes ou encore tout ce qui est nécessaire au ravitaillement.

Elizabeth observe Mastermyr et constate qu'il est lui aussi impressionné, non seulement par l'aspect grandiose du hangar, mais également par tout ce qu'il contient.

– Mais où Reivax a-t-il trouvé l'argent pour réaliser tout ça ? demande-t-il en s'avançant lentement vers le *Danaïde*.

– Les alters forment une grande communauté, répond sa mère. Ils se sont regroupés et s'entraident mutuellement…

Mastermyr se retourne vers elle.

– Contrairement aux elfes. C'est ce que tu allais ajouter, n'est-ce pas?

Gabrielle acquiesce:

– La prophétie d'Amon prédit que les alters vaincront les sylphors. Ce n'est qu'ensuite qu'ils seront éliminés par les élus. Si tu veux mon avis, les elfes connaîtront la défaite parce qu'ils auront été incapables de former une alliance, de se liguer contre leurs ennemis.

– Ça ne veut plus rien dire, rétorque le jeune elfe noir. Si ce que tu m'as dit au sujet de Razan est vrai, alors la prophétie d'Amon a été mal interprétée. À partir de maintenant, on ne pourra plus distinguer le vrai du faux, mère. Il est possible que l'issue finale de la guerre entre les alters et les elfes noirs ne soit pas celle qui est prévue depuis des siècles.

Gabrielle réfléchit un moment, puis déclare:

– Lothar remportera certainement la victoire aujourd'hui, mais il ne gagnera pas la guerre. Les autres voïvodes et toi devez travailler avec lui si vous souhaitez avoir une chance de battre les alters un jour. Il n'est pas trop tard pour faire équipe avec tes semblables, mon fils, si tu veux l'emporter.

– Faire équipe? Et c'est pour cette raison que je dois laisser le Canyon sombre à Lothar?

– Je t'ai demandé de *l'accueillir* dans le Canyon sombre, rectifie Gabrielle, pas de le lui laisser.

– Pour Lothar, ce sera la même chose ! proteste Mastermyr. Depuis des années, il essaie d'imposer sa volonté aux autres voïvodes ! Un jour, il a failli provoquer Falko en duel juste parce qu'il avait osé le contredire.

– Lothar est dur et cruel, c'est vrai, admet Gabrielle, mais c'est le seul qui puisse conduire les sylphors à la victoire.

Mastermyr secoue la tête.

– Non. C'est ma main qui exterminera le dernier alter de Midgard.

– J'espère que tu dis vrai, mon fils.

Tous les trois se dirigent ensuite vers la plate-forme où est posé le *Danaïde*. Un escalier d'accès en aluminium leur permet de monter à bord de l'appareil. Une fois à l'intérieur de l'habitacle, Gabrielle se dirige tout droit vers le poste de pilotage. Mastermyr s'installe à ses côtés, sur le siège du copilote.

– Alors, tu sais piloter cet engin ? demande-t-il.

– En théorie, oui, répond la nécromancienne. Mais avant tout, il faut sortir l'appareil.

Elle montre une série de boutons sur un des panneaux de commande.

– Ces interrupteurs devraient nous permettre d'ouvrir les portes coulissantes du hangar, et ceux-là de faire monter la plate-forme de lancement au niveau des jardins.

La nécromancienne s'apprête à activer le mécanisme d'ouverture des portes lorsqu'un groupe de personnes pénètre dans le hangar. Elle éloigne aussitôt sa main du panneau de commande.

– Qui est-ce? demande Elizabeth, qui se tient debout derrière le siège de Mastermyr.

Gabrielle et son fils observent les nouveaux arrivants à travers le pare-brise du poste de pilotage.

– Il y a une alter, lance Mastermyr. Je la reconnais, c'est Ael.

– Et là, ce sont deux animalters canins, note sa mère. Ils transportent quelqu'un… C'est Jason Thorn, le chevalier fulgur!

– Qu'est-ce qu'on fait? demande Mastermyr. On se dépêche de sortir le *Danaïde*?

Gabrielle réfléchit un moment, tout en continuant d'observer Jason et ses compagnons.

– Non, dit-elle alors que ceux-ci atteignent l'escalier d'accès. S'ils sont ici, c'est qu'ils veulent la même chose que nous. Laissons-les nous conduire au Canyon sombre.

– Quoi? Mais peut-être qu'ils essaient simplement d'échapper à Lothar!

– Peu probable, mon fils. Jason est avec eux. Il est le seul de nos ennemis qui sache où se trouve le Canyon sombre.

Elle reste silencieuse pendant quelques secondes, puis ajoute:

– Nous avons de la chance!

– De la chance? s'étonne Mastermyr.

Ael et les animalters gravissent les premières marches de l'escalier d'accès.

– C'est l'occasion rêvée de nous assurer que la route menant au Canyon sombre demeura à jamais secrète, explique Gabrielle.

– Et comment on va faire ça?

– En éliminant le chevalier fulgur, ainsi que tous ses amis. Mais d'abord, il faut les laisser monter. À notre arrivée au Canyon sombre, nous leur tomberons dessus. Ils ne s'y attendront pas, et nous pourrons tous les réduire au silence. Il y a une soute sous le pont supérieur, les informe-t-elle. Allons nous y cacher.

La nécromancienne quitte son siège et leur indique une trappe au centre de l'avion. Après l'avoir ouverte, elle invite ses compagnons à descendre dans la soute. Gabrielle s'y engouffre la dernière et referme la trappe derrière elle. Une seconde plus tard, Ael ouvre la porte du *Danaïde* et pénètre à l'intérieur de l'appareil, suivie de Geri et de Freki, qui transportent toujours Jason entre eux.

– Nous voilà en sécurité ! affirme Ael, visiblement soulagée.

Tout en s'avançant vers le poste de pilotage, elle s'adresse aux animalters :

– Déposez Jason sur un siège. Freki, occupe-toi d'attacher sa ceinture et d'installer son masque. Geri, viens m'aider. Il faut faire décoller cet engin !

Ils s'activent tous avec la plus grande célérité. Aucun d'eux ne voit le loquet de la trappe qui se referme doucement.

13

La plate-forme de lancement s'élève en même temps que s'ouvrent, au-dessus d'elle, les portes du hangar souterrain.

Les portes sont en fait deux énormes plaques coulissantes, qui s'écartent lentement l'une de l'autre à mesure que la plate-forme s'approche de la surface. C'est finalement au milieu des jardins du manoir qu'émerge le *Danaïde*. À travers le pare-brise, Ael et Geri aperçoivent la lune et les étoiles. Il n'y a aucun nuage. La nuit est belle. Lorsqu'elle regarde en direction du manoir, la jeune alter distingue les trous béants laissés dans la toiture par le troll. Elle remarque aussi qu'un des murs du manoir a cédé ; il s'est complètement effondré. *Encore le troll*, conclut-elle. *Il s'est probablement ouvert un passage à coups de poings pour rejoindre ses copains, les elfes, dans la salle de bal.*

Une fois la plate-forme stabilisée, Ael place les turboréacteurs à la verticale, afin de permettre une poussée vers le haut. Dès qu'elle allume les moteurs, le train d'atterrissage du *Danaïde* quittent le sol. L'appareil flotte doucement au-dessus de la plate-forme. Il tangue légèrement, mais son orientation demeure stable. L'alter appuie sur les manettes de poussée au centre du pupitre de commande. Cette fois, le *Danaïde* s'élève avec davantage de puissance. Dès qu'ils ont atteint une altitude suffisante, Ael remet les turboréacteurs à l'horizontale et déploie les ailes de l'appareil. Survient alors une brève poussée d'accélération. Après avoir vérifié les instruments de bord, la jeune fille oriente le *Danaïde* plein sud. L'avion hypersonique file maintenant tout droit vers Belle-de-Jour. Dans quelques minutes, ils auront quitté la campagne, probablement la province, et peut-être même le pays.

– Geri, prends les commandes ! ordonne Ael en abandonnant son siège. Je dois me renseigner sur notre destination.

Elle rejoint Freki et Jason à l'arrière.

– Toujours endormi ? demande-t-elle à l'ani-malter.

Freki jette un coup d'œil à Jason et fait signe que oui. Ael s'agenouille devant le chevalier fulgur et lui retire son masque. Elle lui flanque deux gifles.

– Ouvre les yeux, cow-boy !

Elle pince une de ses joues avec force.

– Allez, la Belle au bois dormant, reviens parmi nous ! Sinon Freki sera forcé de t'embrasser pour te réveiller !

Le doberman affiche un air inquiet. Ael secoue la tête dans sa direction pour lui faire comprendre qu'elle n'est pas sérieuse. Freki n'est qu'à demi rassuré. Tous deux reportent leur attention sur Jason, qui tourne la tête d'un côté puis de l'autre, tout en grognant quelque chose.

– Ça y est, dit Freki, il reprend conscience!

Le jeune chevalier continue de parler, mais ses paroles demeurent confuses: «Brine-oué… Brine-tu…»

– Qu'est-ce qu'il a dit? demande Ael.

Freki secoue la tête: il n'en sait rien. Après avoir écouté attentivement, il déclare:

– Il a dit: «Brine-tu», je crois, ou peut-être: «Brine-oué-tu…»

– Ça ne veut rien dire.

– BRYNI! OÙ ES-TU? s'écrie soudain Jason en ouvrant les yeux.

– Bryni? répète Ael, intriguée.

La première chose que fait Jason après s'être éveillé, c'est prendre une grande inspiration. Il observe Ael, d'un air égaré, puis se tourne vers Freki.

– Qu'est-ce qui m'est arrivé? Où sommes-nous?

Ael lui raconte ce qui s'est passé au manoir. Elle lui parle du gaz soporifique ainsi que de Reivax et de ses coffres de fonderie. Elle enchaîne avec l'arrivée du troll et l'invasion des elfes, puis décrit leur fuite avec les dobermans par le passage secret derrière la scène. Elle en vient au hangar souterrain et au *Danaïde*, et conclut son récit en lui répétant les paroles d'Arielle à propos du Canyon sombre et du livre qu'ils doivent y récupérer.

– Arielle dit que tu es le seul à savoir où se trouve le repaire des elfes.

– John Thorn le savait, rectifie Jason. C'est mon ancêtre. Son secret est enfoui quelque part dans ma mémoire, mais je ne sais pas comment le retrouver.

– Ael pourrait peut-être y parvenir ! annonce Freki avec enthousiasme.

La jeune fille se tourne aussitôt vers le doberman et le fixe d'un air grave, pour l'obliger à se taire.

– Ah oui ? fait Jason. Et de quelle façon ?

Freki n'ose pas poursuivre ; il est paralysé par le regard réprobateur d'Ael.

– Ça ne fonctionnera pas, assure cette dernière en continuant de fixer Freki.

– Tu n'en sais rien ! lance Geri du poste de pilotage.

– N'en remets pas, Geri ! grogne l'alter.

Mais le doberman n'a pas l'intention d'en rester là. Contrairement à Freki, il n'est aucunement intimidé par Ael.

– C'est probablement le seul moyen dont nous disposions pour trouver le chemin du Canyon sombre, déclare Geri. Alors, tu dois au moins essayer !

Ael baisse la tête, tout en poussant un soupir de résignation.

– D'accord, dit-elle finalement. Je vais tenter le coup une fois. Mais une seule fois, vous m'entendez ?

– Je suis certain que ça va marcher ! s'écrie Freki, rempli d'enthousiasme.

– Mais qu'est-ce qu'elle va faire au juste? demande Jason, qui est de plus en plus intrigué. Elle va m'ouvrir le crâne et entreprendre des fouilles dans mon cerveau?

Ael secoue la tête.

– Pire: je vais t'embrasser, cow-boy.

Jason fronce les sourcils.

– J'ai bien compris? Tu vas…

– Elle va te bécoter! jubile Freki. Et avec la langue en plus! C'est obligé!

Le doberman sourit. Il s'imagine en train de dire à Ael: «Qui est forcé d'embrasser la Belle au bois dormant maintenant, hein?»

– Vous devez entrer en contact l'un avec l'autre, explique Geri.

Il ajoute que les alters se servent de cette méthode pour échanger des informations, parfois même des souvenirs. Si elle réussit à établir le lien avec lui, Ael pourra plonger dans sa mémoire et y découvrir le chemin du Canyon sombre.

– Génial! fait Jason.

Puis il adresse un clin d'œil à Ael et lui lance:

– Alors, on y va?

La jeune alter ne trouve pas ça amusant, mais s'approche tout de même de Jason.

– C'est purement professionnel, cow-boy, le prévient-elle alors que leurs lèvres se touchent presque.

Les bouches de la jeune alter et du jeune chevalier s'unissent dans un long baiser, à la fois violent et passionné. Les deux jeunes gens semblent être tombés dans une sorte de transe. Ils sont soudés l'un à l'autre, comme s'ils faisaient partie d'un même être.

— Jamais j'aurais cru voir ça, dit Freki en ne pouvant s'empêcher de les observer : une alter et un chevalier fulgur qui s'embrassent. Personne va nous croire. Faudrait prendre une photo.

Au bout d'une longue minute, Ael finit par mettre un terme à leur étreinte. Elle semble troublée, désorientée.

— Je l'ai, annonce-t-elle mollement. J'ai trouvé le chemin. Il était bien là, enfoui dans sa mémoire.

Jason passe sa langue sur ses lèvres. Il n'est pas aussi désemparé que la jeune alter.

— C'était délicieux, affirme-t-il en regardant Ael dans les yeux. Professionnel, mais délicieux. On recommence ?

Ael l'observe un moment en silence, puis se lève. *Il s'est passé quelque chose durant ce baiser*, conclut Jason. *Ael est différente*. D'un pas hésitant, la jeune alter retourne auprès de Geri, dans le poste de pilotage.

— Tu as trouvé quelque chose au sujet du coffre-fort et du champ de force ? lui demande Geri.

— Rien du tout, répond-elle. À moins d'un miracle, va falloir improviser sur ce coup-là.

Elle donne les coordonnées du Canyon sombre à l'animalter, qui les entre immédiatement dans l'ordinateur de bord.

— Et c'est parti pour une petite promenade en Oregon ! annonce Geri en terminant d'entrer les données.

Ael reprend sa place sur le siège du pilote. Ce n'est qu'après plusieurs minutes de vol qu'elle s'adresse de nouveau à Jason :

— Au fait, cow-boy, lui demande-t-elle sur un ton qu'elle voudrait détaché, qui est cette Bryni que tu réclamais tout à l'heure ?

Elle ne s'est pas retournée. Jason ne voit que l'appui-tête de son siège.

— J'ai parlé de Bryni ?

— Un peu avant de te réveiller, l'informe Freki.

— Bryni est une Walkyrie, leur révèle Jason.

— Vraiment ? fait Ael, toujours avec la même indifférence forcée. Tu la connais bien ?

— C'est elle qui m'a protégé durant toutes ces années où les elfes m'ont gardé prisonnier dans la fosse d'Orfraie.

— Et où est-elle maintenant ?

La curiosité de la jeune alter est loin d'être aussi désintéressée qu'elle aimerait le laisser croire. Jason s'en réjouit, même si ce ravissement soudain ne manque pas de l'étonner : Ael est une alter, et les alters constituent une des nombreuses races de démons chassées par les chevaliers fulgurs. Ne serait-ce pas le comble de l'ironie si le valeureux Jason Thorn, sacré plus d'une fois meilleur chasseur pendant les grandes traques de 1944, éprouvait de l'attirance pour l'un de ces démons ? Contre toute attente, cette perspective fait sourire le chevalier.

— Aucune idée, dit-il simplement pour répondre à la question d'Ael. Avant de me quitter, à la fosse, elle a dit qu'elle reviendrait un jour. Avec des amis. Je n'en sais pas plus.

– Elle est jolie ? demande Geri.

À l'avant, Jason distingue le profil de la jeune alter. Elle a incliné la tête, peut-être pour mieux entendre sa réponse.

– Bryni est *très* jolie ! répond le chevalier. C'est une sacrée fille !

Sa réponse produit l'effet désiré : Ael détourne la tête, visiblement agacée. L'instant d'après, dans un mouvement d'impatience, elle pousse à fond les moteurs du *Danaïde*.

L'appareil s'enfonce comme une flèche dans la nuit, emportant avec lui ses passagers vers la côte ouest des États-Unis.

14

Après leur avoir retiré leurs armes, les elfes conduisent Arielle et ses compagnons dans les cachots du manoir Bombyx.

– Je ne savais pas qu'il y avait une prison sous le manoir, dit la jeune fille.

– Reivax a fait torturer plus d'une personne dans cet endroit, révèle Razan, qui se trouve plus loin derrière elle.

– Des dizaines d'elfes noirs sont morts ici, grogne le sylphor qui escorte Arielle. Et puisqu'il n'y a plus d'alters à punir, c'est votre foutue ville qui en paiera le prix.

– Vous avez tué tous les alters? demande Arielle, même si elle connaît déjà la réponse.

– Après ce qu'ils ont fait subir à Falko et à nos autres frères du Nouveau Monde, ces chiens d'alters méritaient bien de disparaître!

Le sylphor force l'élue à presser le pas. L'endroit est sombre et humide. Comme partout dans la cave, ce sont des torches accrochées aux murs qui éclairent leurs pas. Arielle dénombre au moins une centaine de cellules, réparties en deux longues rangées qui se font face. Les cellules sont toutes identiques : elles sont petites, de forme rectangulaire et munies de barreaux couverts de rouille. Il n'y a aucun meuble à l'intérieur : pas de lit ni de table. De la paille pourrie recouvre le sol. De gros bols en étain à l'aspect fort douteux font office de toilettes. La plupart d'entre eux reposent dans un coin de la cellule et servent de refuge à des colonies de bestioles, toutes plus inquiétantes les unes que les autres.

Le sylphor pousse finalement la prisonnière dans une des cellules. L'odeur putride de la paille mélangée à celle du bol provoque un haut-le-cœur chez Arielle. Mais elle a le temps de se ressaisir avant que les autres elfes n'enferment Brutal et Razan dans les deux cellules voisines.

– DÉ-GUEU-LASSE ! crie Brutal en jetant un coup d'œil prudent en direction du bol. Je vais vomir, c'est certain !

– Y a longtemps qu'ils n'ont pas fait le ménage, fait remarquer Razan, chez qui le dégoût peut se lire également.

Des dizaines de sylphors font soudain leur entrée dans la prison. Chacun d'eux transporte un corps inanimé. Dans les bras des quatre premiers sylphors reposent les membres de la famille Lecompte, les voisins de l'oncle Sim et d'Arielle. *Ils déplacent les habitants de Belle-de-Jour*, se dit cette dernière en voyant passer devant elle René et Lorraine Lecompte ainsi que leurs deux filles, Mariève et Amélie. *Ils vont les emprisonner ici, avec nous.* Sous ses yeux défilent d'autres résidants de Belle-de-Jour : les Dupré et les Hénault, puis les Thomas et les Davidson.

— Ils sont tous inconscients, constate Brutal alors que les elfes et leur « marchandise » continuent d'affluer. Le gaz soporifique agit encore sur eux.

— Plus pour très longtemps, affirme Razan. Et à ce moment-là, les elfes vont s'occuper d'eux.

Arielle se tourne vers lui. L'alter et elle sont séparés par un mur de barreaux.

— Ils vont les « assimiler », comme tu dis ?

Razan hoche la tête.

— Et comment vont-ils s'y prendre ?

L'alter sourit brièvement, puis répond :

— Ils vont les transformer en serviteurs kobolds.

Des serviteurs kobolds ? se répète Arielle. *Non, c'est impossible !*

— Ils ne peuvent pas faire ça ! proteste-t-elle à voix haute.

— Et pourquoi pas ? réplique Razan. Ce ne sont que des humains après tout.

— *Que* des humains ?

Au même moment apparaît l'elfe noir qui transporte l'oncle Sim. Il est suivi de près par ceux qui se sont chargés de Rose et d'Émile. Les trois sylphors jettent leurs fardeaux respectifs dans une cellule qui est située à l'autre bout du couloir, dans la rangée opposée. La cellule se trouve de biais par rapport à celle d'Arielle. Celle-ci tente de réveiller son oncle et ses amis dès que les elfes ont quitté leur cellule :

— Oncle Sim ! Tu m'entends ? Rose ! Émile !

Brutal est plus près d'eux, mais Arielle parvient tout de même à les distinguer. Ils sont tous les trois étendus sur le sol et ne bougent pas. La jeune fille se ronge les sangs d'inquiétude ; elle ne se le pardonnera jamais s'il leur arrive quelque chose. *Pourvu qu'ils se portent bien*, songe-t-elle. *Vous, les dieux, qui que vous soyez, faites qu'ils s'en sortent !*

— Ton attachement pour ces animaux est pathétique, dit Razan en riant.

Arielle bondit vers Razan à la vitesse de l'éclair. Elle l'agrippe à travers les barreaux qui séparent leurs deux cellules et l'attire violemment à elle.

— Démon ! lui crache-t-elle au visage.

— Arielle ! la prévient Brutal depuis sa cellule. Éloigne-toi de lui ! Tu ne sais pas de quoi il est capable !

Le corps de Razan est plaqué contre le mur de barreaux, ce qui ne l'empêche pas de se moquer d'Arielle.

— Bravo, dit-il. Tu es forte. Mais pas autant que moi.

Après quoi, il lui agrippe les deux poignets et la force à lâcher prise. L'élue recule lentement, tout en fixant l'alter.

— Noah, tu es là ? demande-t-elle sans détacher son regard de Razan.

— Te fatigue pas, répond celui-ci. Je te l'ai dit : Noah est en mode « indisponible » jusqu'à demain matin.

— Noah ! répète Arielle. Noah, je sais que tu es là, quelque part !

Razan lève les yeux au ciel, en poussant un grand soupir.

– C'est moi le patron, princesse.

Mais Arielle ne l'écoute pas.

– Tu es plus fort que lui, Noah. Tu es l'élu. Et moi, je suis là, je te réclame. Noah, c'est moi, Arielle, et j'ai besoin de toi !

Razan passe de l'exaspération à l'amusement.

– Besoin de Noah ? Mais pourquoi, Arielle ? Ce gars-là est encore plus démoniaque que moi !

– C'est faux, démon ! réplique aussitôt l'adolescente en pointant l'alter du doigt. Et c'est ce qui te fait peur : le bien qui existe chez Noah est beaucoup plus puissant que le mal qui vit en toi. NOAH ! s'écrie-t-elle en faisant de nouveau abstraction de Razan. Tu peux combattre ton alter ! Tu peux t'éveiller et le maîtriser !

Cette fois, c'est la colère qui s'empare de Razan :

– Tu es tellement naïve ! Noah n'est pas celui que tu crois, Arielle. Il fait partie de la lignée des Davidoff !

– Et alors ?

Razan laisse passer quelques secondes avant de répondre.

– C'est une lignée maudite, explique-t-il, plus calme. Personne n'a jamais su dans quel camp les Davidoff étaient vraiment, celui du bien ou celui du mal. Ce sont des fous.

– Tu mens ! rétorque Arielle.

– Vraiment ? Alors, dis-moi pourquoi aucun Davidoff ne s'est jamais marié ou n'a jamais eu d'enfant avec une Queen ?

– J'ai parlé à plusieurs de mes ancêtres, dit Arielle. Elles n'ont jamais mentionné que les Davidoff représentaient une menace, bien au contraire. Elles m'ont toujours incitée à me rapprocher de Noah.

– Les histoires d'amour entre les Queen et les Davidoff ne dépassent jamais l'adolescence, princesse. Lorsqu'elles te parlent en songe, tes ancêtres ont le même âge que toi, soit environ seize ans. Elles ne savent pas encore comment se terminera leur relation avec le Davidoff de leur époque. Ton grand-père n'était pas un Davidoff, Arielle. Ta grand-mère, Abigaël Queen, et Mikaël Davidoff se sont aimés, c'est vrai, mais pendant une courte période seulement. Un jour, Abigaël s'est séparée de Mikaël. Elle a rencontré un autre homme et a perpétué sa propre lignée, comme l'ont fait ses ancêtres avant elle. Mikaël a fait la même chose de son côté. Au cours des siècles, les lignées Queen et Davidoff n'ont jamais convergé pour n'en former qu'une seule. Si c'était le cas, Noah et toi seriez du même sang.

Razan fait une pause, puis ajoute:

– Qu'est-ce que ça signifie selon toi, princesse? Eh bien, pour moi, ça indique qu'il y a quelque chose qui cloche avec ces fameux couples d'élus!

– Tu es un alter, déclare Arielle. Un démon. Ce que tu dis n'a pas de valeur.

– Tu n'es pas curieuse de savoir pourquoi ta grand-mère s'est séparée de Mikaël Davidoff? C'est parce qu'elle a découvert quelque chose, un secret qui l'a forcée à chasser Mikaël de sa vie. Tôt ou tard, tu découvriras aussi ce secret et tu devras mettre un terme à ta relation avec Noah.

– Arielle, ne l'écoute pas, intervient Brutal. Il te manipule. C'est un démon, et les démons excellent dans ce genre de chose. Si tu continues de l'écouter, il va installer le doute en toi, et t'entraîner là où tu ne veux pas aller.

Arielle ne tient pas compte des avertissements de l'animalter et poursuit :

– Noah Davidoff est l'élu de la prophétie ! insiste-t-elle. Je le sais !

– Tu en es certaine ? J'ai l'impression que c'est toi que tu essaies de convaincre, ma belle.

– J'ai vu sa marque de naissance en forme de papillon. Elle est blanche, tout comme la mienne. C'est le signe distinctif des élus.

– Tu as raison, lui accorde Razan. Dis-moi, Noah avait-il son corps d'alter lorsqu'il t'a montré cette marque ?

Oui, il avait bien son apparence d'alter, se souvient Arielle. Ils étaient tous les deux dans sa chambre, chez l'oncle Sim. Brutal aussi était présent. C'était peu après que Falko et ses elfes les eurent attaqués à l'extérieur de la maison. Noah venait à peine de lui révéler qu'il était le second élu. « Montre-moi ta marque », avait-elle exigé. Noah avait enlevé son manteau, puis avait déboutonné sa chemise afin de lui présenter sa tache de naissance en forme de papillon. « Elle est brune », avait fait remarquer Arielle. Le garçon avait alors mouillé son pouce et l'avait passé sur la tache. Le papillon brun était devenu blanc. « J'utilise le maquillage de ma mère pour l'assombrir, avait expliqué Noah. Si les alters découvraient que ma marque est différente de la leur, ils comprendraient vite que je suis l'un des deux élus. »

— Oui, il avait son corps d'alter, répond Arielle. Qu'est-ce que ça change ?

— La marque de Noah est blanche seulement lorsqu'il est sous sa forme alter, explique Razan. Elle redevient brune dès qu'il reprend son apparence humaine.

Les révélations de l'alter déclenchent le rire d'Arielle.

— Et tu penses que je vais te croire ? Tu ne peux rien prouver !

Razan acquiesce.

— C'est vrai, mais la prochaine fois que tu verras Noah dans sa version humaine, demande-lui donc de te montrer sa marque.

— Je vais le faire, l'assure Arielle tout en le défiant du regard, t'inquiète pas.

— Et je suppose qu'il ne t'a pas parlé non plus de sa cicatrice ? renchérit Razan.

La jeune fille demeure muette. C'est vrai, Noah ne lui a jamais rien dit à propos de cette marque sur son visage. Personne ne sait d'où elle lui vient.

— C'est une vieille blessure, répond Arielle, avec beaucoup moins d'aplomb cette fois-ci.

Elle se souvient que Noah portait déjà cette cicatrice le jour où il l'a défendue contre le gros Simard, pendant le cours d'éducation physique.

— C'est faux, dit Razan. Ce n'est pas une vieille blessure. Cette cicatrice date d'à peine deux ans. C'est pendant votre premier baiser qu'il a modifié tes souvenirs. Je parle de celui qu'il t'a arraché de force le jour de ton quatorzième anniversaire. Mais c'est normal que tu ne te le rappelles pas.

Devant l'étonnement d'Arielle, il ajoute:

— C'est un don des alters, tu ne le savais pas? On peut modifier ou rafraîchir la mémoire de quelqu'un grâce à un contact intime, du genre long baiser langoureux.

Ça expliquerait les flash-back, *songe Arielle, ceux que j'ai eus en embrassant Noah.* Mais elle chasse rapidement cette idée: *Ne te laisse pas tromper par ce démon, Arielle. Il veut t'éloigner de Noah. Votre premier baiser, il y a deux ans? Impossible. Tu t'en souviendrais.* À l'époque de son quatorzième anniversaire, elle savait très bien qui était Noah Davidoff, mais elle ne lui avait encore jamais parlé. Et l'année suivante, elle avait fêté son anniversaire seule avec Rose. Ce soir-là, Elizabeth était malade et Émile avait une partie de hockey importante. Rose et elle étaient allées voir un film, puis avaient mangé du gâteau au fromage au resto du coin.

— Noah a modifié tes souvenirs, continue Razan, pour te convaincre qu'il t'avait protégée pendant toutes ces années.

Voyant que sa maîtresse ne réagit pas, Brutal intervient de nouveau:

— Arielle! Éloigne-toi de lui!

L'adolescente ne bouge pas. Razan poursuit:

— Ce n'est pas Noah qui t'a défendue contre le gros Simard dans la cour de récréation.

– Ah non ? fait Arielle. Qui alors ? Simon Vanesse ?

Un large sourire se dessine sur le visage de Razan.

– C'est moi, voyons !

15

Le Danaïde *franchit à haute altitude la frontière séparant le Canada des États-Unis.*

En vingt minutes à peine, l'appareil traverse le Minnesota, le Dakota-du-Nord ainsi que le Montana. Il oblique vers le sud-ouest à la frontière de l'Idaho.

— Prêt à réduire la vitesse et l'altitude ! annonce Geri pendant que les autres se préparent à retirer leur masque à oxygène. Nous survolerons l'Idaho pendant un court moment, les informe-t-il du poste de pilotage, puis ce sera au tour de l'État de Washington. Ensuite, il faudra virer vers le sud et rejoindre le fleuve Columbia.

— Tu sais exactement où nous allons ? demande Freki à l'arrière.

— Impossible de faire erreur avec les informations dont je dispose. L'ancêtre de Jason connaissait bien le territoire de l'Oregon.

Le jeune homme le confirme d'un signe de tête.

— Il était cartographe, précise-t-il. Un des tout premiers.

– Lost Lake est le nom de l'endroit où nous nous rendons, dit Ael. Si les souvenirs de Jason sont exacts, c'est là-bas que devrait se trouver le Canyon sombre.

– Il y a des canyons dans ce coin-là? lance Freki en regardant Jason.

Celui-ci se contente de hausser les épaules.

– Combien de temps avant d'arriver là-bas? demande Freki.

– Quelques minutes, fait Ael sans bouger la tête.

Cette réponse semble satisfaire le doberman. Il se tourne alors vers Jason.

– Ça t'embête, vieux, si je te pose quelques questions sur ton boulot?

Le chevalier fait signe que non. Comblé, Freki s'empresse de poursuivre:

– Ça m'intrigue vraiment: tu as déjà chassé des loups-garous?

Jason est à la fois étonné et amusé par la question de l'animalter.

– On dit des «lycanthropes», le corrige-t-il. Oui, j'en ai déjà chassé. Ma plus grosse prise devait faire dans les deux cents kilos.

– Tant que ça? s'étonne Freki.

– Une sale bête. Il a fallu s'y mettre à cinq pour la traîner.

– Et des vampires? T'en as déjà vu?

– J'en ai réduit une vingtaine en poussière durant ma première année d'apprentissage.

– Il y en a encore beaucoup?

Selon Jason, il n'en restait plus qu'une centaine en 1945. Aujourd'hui, leur race est certainement éteinte.

Le jeune chevalier ajoute :

– Tu savais que les vampires sont les cousins des elfes noirs ?

– Vraiment ?

– Ils descendent tous du même sylphor.

Mais les vampires, explique Jason, contrairement aux elfes noirs, ont choisi très tôt de mêler leur sang à celui des hommes. Les elfes les ont alors accusés d'avoir souillé leur pureté elfique et les ont rejetés. Mais les deux groupes, bien qu'ils aient évolué différemment, ont conservé les mêmes points faibles : il leur est impossible de sortir le jour et ils peuvent être facilement tués si on leur injecte une matière elfique de souche pure dans le cœur. Pour les vampires, c'est la sève qui est hautement toxique. Tout le monde croit qu'on peut tuer un vampire en lui enfonçant un pieu de bois dans le cœur. C'est vrai, mais seulement si le pieu vient tout juste d'être coupé. En réalité, ce n'est pas le pieu qui tue le vampire, mais le résidu de sève qui se trouve à l'intérieur. Les arbres ne sont pas nés sur la Terre. Ils ont été importés de l'Alfaheim, le royaume des elfes de lumière. Ceux-ci les ont offerts aux hommes pour célébrer la création de Midgard. La sève qui coule dans les arbres est la matière qui se rapproche le plus des larmes d'elfes de lumière – qui sont fatales aux sylphors. Étant donné leur « métissage » avec les humains, les vampires ont acquis une sorte de résistance aux larmes d'elfes de lumière. Pour les combattre, il vaut mieux employer la sève, qui a quelque chose de plus « organique ». Les chevaliers fulgurs sont les premiers à avoir utilisé les pieux contre les vampires. Les alters s'en sont inspirés pour créer leurs injecteurs lacrymaux acidus, qui permettent de percer les armures protège-cœur des elfes et de démembrer ces derniers.

– Qui t'a raconté tout ça? demande Ael à l'avant.

– Mon maître, répond Jason, pendant mon séjour à l'abbaye Magnus Tonitrus. C'est l'académie des chasseurs de démons, précise-t-il d'une voix plus basse pour Freki. Je m'apprêtais à y retourner en 1945 pour prendre un apprenti quand j'ai été fait prisonnier par les sylphors à Berlin. Vous connaissez la suite.

– Qu'est-ce que tu faisais à Berlin? lance à son tour Geri.

– J'étais là pour aider Abigaël Queen. Vous avez déjà entendu parler du bunker 55? C'est là-bas que j'ai été capturé par les sylphors. Les elfes m'ont ensuite envoyé à la fosse nécrophage d'Orfraie, où Arielle m'a retrouvé soixante ans plus tard.

– Ta Walkyrie était déjà là-bas?

– Non, elle est arrivée ensuite. C'est Abigaël qui me l'a envoyée.

– Elle la connaissait? l'interroge Geri.

– Bryni avait été faite prisonnière par les sylphors. On la détenait elle aussi dans le bunker 55. Abigaël l'a délivrée. La Walkyrie avait donc une dette envers elle, et devait s'en acquitter pour sauver son honneur. Abigaël lui a donc demandé de me retrouver et de me protéger.

– J'amorce la descente! annonce soudain Geri à l'avant.

– Tu crois que les Américains vont nous repérer ? demande Freki.

– Le *Danaïde* est indétectable par les radars, répond Geri. Technologie qui nous vient de la U.S. Air Force elle-même. Merci aux alters du Pentagone.

– À la fois furtif et hypersonique, précise Ael. Quoi demander de mi…

La jeune alter n'a pas le temps de terminer sa phrase ; une alarme sonore se déclenche dans le poste de pilotage : BIP ! BIP ! BIP ! L'éclairage tamisé de la cabine fait bientôt place à une lumière rouge intermittente. Tout le monde comprend ce que ça signifie : DANGER !

« *Alerte missile ! Alerte missile !* » ne cesse de répéter la voix électronique du *Danaïde*.

– Qu'est-ce qui se passe ? s'écrie Geri pour couvrir le bruit de l'alarme.

Freki se précipite vers un hublot et jette un coup d'œil à l'extérieur.

– Il y a un autre avion ! Il nous suit !

– Impossible ! rétorque Ael. Le *Danaïde* est beaucoup trop rapide !

– Pas assez, visiblement, dit Jason qui a rejoint Freki.

– C'est pas une hallucination ! insiste Freki. Il y a vraiment un autre avion qui nous suit sur le flanc droit ! Il ressemble à un F-14… mais les ailes sont différentes.

– C'est un chasseur furtif F-22, leur révèle Geri après avoir consulté l'ordinateur de bord. Aussi appelé Raptor.

« *To the unidentified aircraft...*, déclare, dans les haut-parleurs, une voix mécanique qui appartient au pilote du chasseur furtif. *You have entered a restricted area. I repeat: You have entered a restricted area. You are not authorized to fly over American soil. You must change your course immediately. I will escort you outside the U.S. air space.* »

— Un de ses missiles est pointé vers nous! s'écrie Geri. Il ne rigole pas!

— Faut le semer! implore Freki. Il va nous réduire en pièces!

— Facile à dire, répond Ael en vérifiant les indicateurs de bord. Malheureusement pour nous, j'en suis à mes débuts comme pilote. Nomis, lui, aurait su comment nous tirer de là. Il était doué et avait de sacrés réflexes!

— Il en a un peu moins depuis que Simon lui a tranché la tête dans l'Helheim, réplique Jason à l'arrière. Allez, démon blond, c'est à toi de jouer maintenant!

Ael secoue la tête.

— Le F-22 réussit à régler sa vitesse sur la nôtre, dit-elle pour souligner son impuissance. Même si j'accélère, il arrive à nous suivre.

— C'est parce que nous ne sommes plus en mode hypersonique, l'informe Geri. À Mach 7, on l'aurait distancé depuis longtemps. L'ordinateur de bord indique que la vitesse maximale du Raptor est de Mach 1,58 en vitesse normale, et de 2 en postcombustion.

— Alors, passons vite à Mach 7! lance Freki qui ne s'est pas éloigné du hublot.

– Impossible, réplique Geri. Nous sommes trop près de Portland, et de son aéroport. On risquerait d'entrer en collision avec un avion de ligne. La seule façon de s'en sortir, c'est d'exécuter une manœuvre périlleuse.

Cette idée de « manœuvre périlleuse » ne manque pas de surprendre Ael :

– J'ai l'air d'un pilote acrobatique ?

– Ael a raison, Geri ! s'impatiente Freki. Ça pourrait nous conduire tout droit au fond du fleuve Columbia, ton truc !

« *Change your course now !* répète la voix du pilote dans les haut-parleurs. *This is our last warning. I repeat : This is our last warning !* »

– Le Raptor s'est placé derrière nous, annonce Geri tout en gardant les yeux rivés sur l'ordinateur de bord. Il s'apprête à lancer son missile.

– Ça y est, annonce Freki avec défaitisme, on est morts.

– On va rester encore longtemps cachés ici ? demande Mastermyr, qui éprouve de plus en plus de difficulté à contenir son impatience.

– Le temps qu'il faudra ! lui répond Gabrielle sur un ton tranchant.

C'est la première fois que la nécromancienne fait preuve d'agressivité envers son fils. Elle s'en rend compte et décide de poursuivre sur un ton plus doux :

– Pour accéder au Canyon sombre, il fau dra modifier cet engin. Je préfère laisser ces opérations complexes à ceux qui sont là-haut. Ils ont plus d'expérience que moi. Dès que le *Danaïde* accostera au quai de débarquement, on s'occupera d'eux, je te le promets.

Elizabeth est adossée dans un coin de la soute. Elle demeure silencieuse, et n'échange aucun regard avec ses compagnons de voyage.

– Qu'est-ce que tu as fait à cette petite? demande Gabrielle.

Le jeune voïvode hausse les épaules, affichant un air indifférent.

– Je lui ai rappelé qui elle était.

– Et qui est-elle?

– Une esclave, répond sèchement Mastermyr. Rien qu'une pauvre esclave.

Elizabeth baisse la tête en silence et serre les lèvres pour ne pas pleurer.

Un bruit d'alarme leur parvient alors: BIP! BIP! BIP! D'instinct, les trois occupants de la soute lèvent les yeux vers le plafond bas. «*Alerte missile! Alerte missile!*» ne cesse de répéter une voix. Les bruits et les voix résonnent d'une façon sourde, comme s'ils étaient étouffés ou qu'ils venaient de loin.

– Qu'est-ce qui se passe? demande Mastermyr.

– Chut! lui ordonne aussitôt Gabrielle.

Ils perçoivent des bribes de conversation: «… vraiment un autre avion… sur le flanc droit.»

– Qu'est-ce qu'ils disent? insiste Mastermyr.

«… chasseur furtif… F-22… Aussi appelé…»

«*To the unidentified aircraft…*», déclare soudain une voix plus forte.

Ça vient des haut-parleurs, songe Gabrielle.

« *You have entered a restricted area. I repeat: You have entered a restricted area. You are not authorized to fly over American soil. You must change your course immediately. We will escort you outside the U.S. air space.* »

– On est poursuivis par un autre avion ! dit Gabrielle en se tournant vers son fils.

– Quoi ?

« Missile... dirigé vers nous... »

– Ils vont nous tirer dessus ! s'exclame Gabrielle. Faut faire quelque chose !

Accroupie, pour ne pas heurter le plafond bas, elle fonce vers l'autre extrémité de la soute, là où se trouve Elizabeth.

– Enlève-toi de là, idiote ! ordonne-t-elle tout en poussant violemment la jeune kobold.

Mastermyr fixe Gabrielle sans bouger ; il n'a aucune idée de ce qu'elle a en tête.

– Mère, qu'est-ce que tu fais ?

« *Change your course now !* dit la voix dans les haut-parleurs. *This is our last warning. I repeat: This is our last warning !* »

– Nous sauver ! répond simplement la nécromancienne à l'autre bout de la soute.

« Raptor... derrière nous », annonce alors une autre voix.

Gabrielle inspire profondément, ferme les yeux, puis s'écrie : « *Alio viaticas locas !* »

– Mère, attends !

Mastermyr s'élance vers sa mère, mais il est déjà trop tard : elle s'est volatilisée.

Pour Gabrielle, il ne s'écoule qu'une fraction de seconde entre le moment où elle disparaît de la soute et celui où elle réapparaît dans le F-22. Le pilote émet un cri étouffé dans son masque lorsque la nécromancienne se matérialise devant lui dans la cabine. Elle est pratiquement sur ses genoux. Promptement, Gabrielle sort ses ongles de Furie et les plante de toutes ses forces dans le cou de l'homme. Celui-ci essaie de garder les mains sur le manche à balai afin de maintenir l'appareil stable, mais, au bout d'un moment, la douleur est si intense qu'il n'a plus le choix : il attrape les bras de la Furie avec ses deux mains et tente de les éloigner de son cou blessé. Au même instant, le pilote sent qu'un liquide tiède et poisseux se répand sous sa combinaison, dans son dos et sur sa poitrine. C'est son sang. Il tente de repousser la femme, mais n'y parvient pas.

– Ne résiste pas ! s'écrie Gabrielle en attaquant de plus belle.

« Target locked! Target locked! » ne cesse de répéter la voix de l'ordinateur. Gabrielle arrache le masque à oxygène du pilote et se penche sur lui. D'une seule morsure sauvage, elle lui arrache un morceau de joue de la grosseur d'une prune et le recrache sur la verrière. Le pilote se met à hurler, tout en continuant de tenir les bras de la nécromancienne, mais celle-ci s'empresse de lui infliger une seconde morsure au visage, ce qui lui fait lâcher prise. Pendant ce temps, le F-22 s'est incliné dangereusement et commence à piquer du nez. À cette vitesse, une seule fausse manœuvre peut être fatale. D'un coup d'œil rapide, Gabrielle repère le mécanisme d'éjection. Le pilote, malgré ses blessures, cherche à reprendre le contrôle du chasseur. Il y arrive pendant quelques secondes. « *Target locked!* » annonce de nouveau la voix de l'ordinateur. « *Target locked!* » L'avion hypersonique se trouve toujours devant le F-22, mais à une altitude légèrement supérieure. À bout de forces, le pilote tente une dernière fois de lancer son missile sur le *Danaïde*, mais Gabrielle ne lui en laisse pas le loisir ; avant qu'il n'ait le temps d'appuyer sur le bouton de mise à feu, elle lui donne un violent coup au visage, puis agrippe les poignées du siège éjectable et tire dessus. Les dispositifs pyrotechniques font sauter les fixations de la verrière, qui est aussitôt propulsée vers le ciel. Immédiatement après, c'est au tour du siège éjectable et de ses deux passagers d'être expulsés de l'habitacle. Ensemble, grâce au canon d'éjection, ils s'élèvent au-dessus du F-22 à une vitesse vertigineuse.

Gabrielle n'attend pas que les fusées du siège se soient activées. D'une seule poussée, elle abandonne le siège et se laisse tomber en chute libre. Elle a un dernier regard pour le pilote : son abondante perte de sang et la force de la gravitation lui ont fait perdre connaissance. *Il survivra tout de même,* conclut Gabrielle alors qu'elle s'abîme dans la nuit noire.

Elle repère sans tarder les feux du *Danaïde*. *Il est beaucoup trop loin,* juge-t-elle. *Ce sera un miracle si j'arrive à me téléporter jusque-là.* « *Alio viaticas locas !* » crie néanmoins la nécromancienne, tout en se concentrant sur l'appareil hypersonique de moins en moins visible à l'horizon. Le temps d'un battement de cils et sa chute est brusquement interrompue. En perte d'équilibre au moment de l'arrivée, elle trébuche, mais se relève rapidement. L'environnement froid et sombre de la nuit ainsi que les sifflements aigus du vent ont disparu. Ils ont été remplacés par des cloisons métalliques et par des bruits réguliers de turbine… celui des turboréacteurs. Gabrielle se trouve à bord du *Danaïde*.

Je ne croyais pas y arriver, se dit-elle.

Elle est frigorifiée mais soulagée. La chaleur de la soute lui fait du bien. Son premier réflexe est de se frotter les mains pour les réchauffer. Mastermyr et Elizabeth s'approchent en silence. Un mélange de perplexité et d'étonnement se lit sur leur visage. Ils ne peuvent s'empêcher d'examiner la bouche et les mains de la nécromancienne, tachées du sang du pilote.

– Avion ennemi abattu ! annonce Gabrielle comme si de rien n'était. *One bogey down !*

Elle éclate de rire, puis utilise la manche de son manteau pour essuyer le sang qui a déjà commencé à se coaguler autour de sa bouche.

Le hurlement strident de l'alarme s'interrompt dans le poste de pilotage. Les lumières intermittentes s'éteignent et l'éclairage revient à la normale.

– Le signal a disparu, déclare Geri, les yeux rivés sur l'écran radar.

Ael vérifie à son tour.

– C'est comme si le chasseur avait disparu, dit-elle.

Elle consulte l'ordinateur de bord.

– Plus aucun missile n'est braqué sur nous. Nous sommes seuls dans le ciel.

– Freki, tu as vu quelque chose ? demande Geri en se tournant vers l'arrière de l'appareil.

Freki hoche lentement la tête, sans regarder son ami. Son museau est toujours collé au hublot.

– Le pilote, répond-il sur un ton hésitant, comme s'il était encore troublé par ce qu'il venait de voir. Il s'est éjecté. Son appareil… son appareil a ensuite piqué du nez et est descendu en vrille.

– Peut-être un problème mécanique, suppose Jason, toujours derrière l'animalter.

– J'espère que nous ne survolions pas un lieu habité, s'inquiète Freki. S'il y a une ville ou un village là-dessous, le F-22 va s'y écraser.

– C'est bien dommage, déclare froidement Ael, mais on a d'autres soucis pour l'instant : problèmes mécaniques ou pas, les Américains vont sûrement envoyer d'autres appareils. Et Lost Lake est tout près. Il faut se préparer à y amerrir.

– Amerrir ? répètent ensemble Jason et Freki tout en regagnant leurs sièges.

– Vous avez bien entendu, leur dit la jeune alter. Une autre des particularités du *Danaïde* : c'est un appareil amphibie.

Ael leur jette un regard amusé par-dessus son épaule, puis ajoute :

– Pour atteindre le Canyon sombre, il nous faudra exécuter une petite plongée. Combien de temps pouvez-vous retenir votre souffle sous l'eau ?

16

Malgré tous ses efforts, Arielle ne peut contenir les tremblements qui assaillent son corps.

Les révélations de son voisin de cellule la mettent dans tous ses états. Si elle en croit le démon alter, ce serait donc lui, Razan, et non pas Noah, qui l'aurait défendue il y a de cela plusieurs années contre le gros Simard. *Ne l'écoute pas*, se répète-t-elle. *Ça ne peut pas être vrai! C'est un démon, pourquoi aurait-il fait ça?*

— J'ai maîtrisé la possession intégrale assez tôt dans mon enfance, lui révèle Razan. Pas aussi bien que Nomis, mais avec assez de talent pour réussir à contrôler Noah à quelques occasions. Surtout à l'école, et aussi lorsqu'il allait à la pêche.

À la pêche? songe Arielle. *Ridicule!*

— Tu mens, murmure-t-elle alors que ses yeux se remplissent de larmes.

— Fouille dans tes souvenirs, lui dit Razan. Pas ceux que Noah t'a imposés, mais les tiens, les seuls qui soient véritablement réels.

Arielle secoue la tête, tout en reculant d'un pas. Sa gorge se serre. Elle essaie d'avaler, mais n'y parvient pas. La jeune fille éprouve de la difficulté à respirer. Machinalement, elle pose une main sur sa poitrine, puis sur son cou, comme si ces gestes pouvaient dénouer sa gorge et laisser passer l'air jusqu'à ses poumons.

Sans qu'elle ait à faire quoi que ce soit, ses souvenirs remontent lentement à la surface. Arielle se revoit dans la cour de récréation. Elle était âgée de neuf ans à cette époque. Elle était petite et boulotte. Ses joues, constellées de taches de rousseur, étaient mouillées de larmes. Le gros Simard venait à peine de s'éloigner d'elle. «Simard, laisse-la tranquille!» avait ordonné Noah. Au début, elle avait cru que c'était Simon Vanesse qui s'était adressé au gros Simard ce jour-là, mais elle a compris depuis que c'était en fait Noah Davidoff qui était intervenu pour la défendre. Et c'est toujours le cas dans son souvenir: après avoir réprimandé le gros Simard, le petit Noah a continué d'observer Arielle en silence. Il tenait un ballon dans ses mains. D'un pas timide, il s'était avancé vers elle. «Tu veux jouer avec moi?» lui avait-il demandé en lui tendant le ballon. Arielle avait répondu qu'elle était d'accord et lui avait demandé son nom. «Les gens m'appellent Noah, avait répondu le jeune garçon. Mais, quelquefois, je ne suis pas Noah.» Cela avait amusé Arielle, qui lui avait ensuite demandé quel était son nom. «Parfois, quand j'ai peur ou que je suis triste, je suis aussi

Razan. » Elle se souvient avoir trouvé le garçon joli. Son visage était beau et… sans cicatrice.

Il n'avait pas de cicatrice, réalise Arielle. *Noah n'avait pas de cicatrice!*

Elle ne comprend pas: le petit garçon en avait pourtant une dans sa première vision, celle que Noah lui a transmise pendant qu'ils s'embrassaient dans la cave chez Saddington, tout juste avant que le jeune homme ne meure. Pourquoi cette marque a-t-elle disparu maintenant? Et pour quelle raison Noah aurait voulu lui faire croire que cette cicatrice remontait à l'enfance?

La jeune fille a l'impression de suffoquer. Ses jambes se dérobent sous elle. Elle tombe à genoux au milieu de sa cellule, incapable de trouver l'air dont elle a besoin. Une douleur intense se propage dans son estomac, puis dans sa poitrine, et l'oblige à se courber en deux. L'odeur de la paille humide et pourrie lui donne la nausée. Si elle vomit, elle est certaine de s'étouffer.

– Arielle! s'écrie Brutal. Qu'est-ce qui se passe? Arielle!

De l'autre côté de la cellule, Razan s'empresse de saisir les barreaux qui le séparent d'Arielle. Au prix d'un grand effort, il arrive à en écarter deux. Le grincement provoqué par cette démonstration de force résonne dans tout le cachot.

– Oh! là là! laisse échapper Brutal en constatant la puissance phénoménale de l'alter.

L'espace que parvient à créer Razan entre les barreaux lui permet de se faufiler dans la cellule d'Arielle. Immédiatement, il se porte à son secours et la force à se calmer.

– Doucement, lui dit-il.

Arielle se redresse, puis tousse à deux reprises avant de recommencer à respirer. Elle y arrive avec difficulté au début, mais tout rentre rapidement dans l'ordre.

– Ça va aller maintenant, lui dit Razan en voyant qu'elle respire mieux.

– Pourquoi… pourquoi m'aides-tu ? réussit-elle à dire.

– C'est l'instinct, rien de plus. Pas le mien, mais celui de ton petit copain Noah. Il t'aime beaucoup, tu sais…

– Alors, il n'est pas aussi mauvais que tu le dis…

– Même les pires monstres peuvent aimer, rétorque Razan. Ça n'enlève rien à leur folie…

– Noah n'est pas un monstre. S'il y a un monstre ici, c'est toi.

Elle fait une pause, pour respirer, puis ajoute :

– Dans le petit salon… quand… quand je me suis réveillée après l'envoi du gaz soporifique, tu étais en train de m'embrasser.

Razan fait signe que oui.

– Qui me dit que ce n'est pas toi qui as modifié mes souvenirs ?

– C'est possible, répond Razan. Alors, soit je t'ai menti, soit c'est Noah qui t'a menti. À qui feras-tu confiance, princesse ?

Toute cette agitation a alerté les gardes sylphors. Une demi-douzaine d'entre eux dégainent leurs dagues fantômes et se précipitent vers la cellule d'Arielle. À leur air, il est facile de deviner qu'ils n'ont pas envie de jouer.

— Je vais avoir droit à la fessée, on dirait, affirme Razan en voyant le premier garde qui s'apprête à déverrouiller la porte de la cellule. Et ils vont s'y mettre à plusieurs, les lâches!

Une fois la porte ouverte, les six gardes pénètrent à l'intérieur de la cellule et se jettent sur Razan. L'alter ne résiste pas: «Tout doux, les gars! Hé! n'abîmez pas mes vêtements! Vous voyez pas que c'est du cuir véritable?!» Les elfes ne lui prêtent aucune attention. Ils le rouent de coups, puis le traînent à l'extérieur, dans le couloir. Il n'est pas question de remettre l'alter dans la même cellule. Ils l'enferment plutôt dans une autre, qui est située de l'autre côté du couloir, devant celle d'Arielle. Les cellules de cette rangée sont munies des chaînes, lesquelles servent à mettre aux fers les prisonniers turbulents.

— Vous croyez vraiment que je ne pourrai pas me débarrasser de ces *chaînettes*? se moque Razan. Regardez par là! J'ai fait un nœud avec les barreaux de votre cellule!

— Écartelé comme ça, tu ne pourras rien faire, capitaine Razan, lui dit un elfe tout en le narguant avec sa dague fantôme. Ces chaînes-là sont en acier trempé. Mais tu devrais le savoir, non? C'est toi qui gardais les cachots quand tu étais sous les ordres de Reivax.

— C'était pas moi… C'était Noah Davidoff.

— Eh ben, tu l'écriras dans ta biographie! rétorque un elfe en le frappant au visage.

Après avoir solidement enchaîné Razan au mur, les elfes lui assènent une nouvelle série de coups de poing, tout en lui adressant des injures:

– Sale pouilleux d'alter !

– Tu vas voir, on va te régler ton compte ! On n'a pas peur de toi, nous !

Razan se force à rire, malgré la douleur.

– Six contre un… vous avez raison : ils m'ont envoyé les plus braves.

Les sylphors le frappent jusqu'à ce qu'il soit trop amoché pour répliquer. Lorsqu'ils sont certains que Razan ne bougera plus, ils quittent un à un sa cellule et retournent à l'entrée de la prison, là où ils ont établi leur poste de garde.

Dès que les elfes se sont éloignés, Arielle se dirige vers la partie avant de sa cellule, celle qui donne sur le couloir.

– Non, reste ici, Arielle, la supplie Brutal.

L'adolescente ne l'écoute pas. À travers les barreaux, elle continue d'observer Razan. Il se trouve de l'autre côté du couloir, retenu au mur de sa cellule par les chaînes en acier. Les bras écartés, les pieds joints, il ressemble à un crucifié. Ses poignets et ses chevilles sont emprisonnés dans des bracelets de fer, verrouillés par des cadenas, qui ne peuvent être ouverts qu'avec une clé. Le menton de l'alter est appuyé contre sa poitrine, et sa tête est inclinée mollement vers la gauche. *Il est inconscient,* se dit Arielle. Elle se ravise aussitôt lorsqu'elle entend un grognement en provenance de la cellule. Razan relève lentement la tête. Ses yeux sont entrouverts. La jeune élue remarque qu'il porte des marques de blessure au visage. Il lui fait soudain pitié. Mais lorsque leurs regards se croisent et qu'elle distingue toujours cette lueur cruelle qui brille dans ses yeux, elle est forcée d'admettre que Razan n'est rien d'autre qu'un alter, et que les alters sont des démons.

Des démons, Arielle! se réprimande-t-elle. *Ne l'oublie pas! Celui-là ressemble à Noah, mais il n'est pas Noah. Brutal a raison: ne te laisse pas manipuler par ce vaurien. Rappelle-toi comment il t'a traitée dans l'Helheim.*

Dès lors, certains souvenirs de son périple dans le royaume des morts remontent à la surface: « Ils commenceront par embrocher Noah vivant et t'obligeront à le regarder rôtir au-dessus d'une braise ardente », lui avait dit Razan alors qu'ils traversaient à cheval les plaines de l'Helheim. « Ils vous écorcheront, lamelle de chair par lamelle de chair, et les feront griller comme du bacon avant de les livrer en pâture à Hraesvelg, le Mangeur de cadavres! » Une telle haine se dégageait de Razan à ce moment! Arielle en avait frissonné alors, et en frissonne encore aujourd'hui en y repensant. Plus tard, au sujet des humains, l'alter de Noah avait ajouté: « Ils sont faibles et lâches. Et ils sont tellement laids! Je les méprise encore plus que ces stupides trolls! Odin a commis une erreur en leur offrant Midgard. Les humains n'en sont pas dignes! C'est à nous, alters, que ce royaume aurait dû être confié! »

Arielle ne cesse de fixer le visage tuméfié de Razan à travers les barreaux de sa cellule.

— Tu me détestes, affirme soudain la jeune fille en repensant à ce que l'alter lui a dit dans l'Helheim, comme tu détestes tous les humains.

Razan hésite un moment, puis acquiesce finalement de la tête.

— Bien sûr que je déteste les humains.

— Pourquoi alors? lui demande Arielle. Pourquoi m'as-tu défendue ce jour-là dans la cour d'école? Et pourquoi m'as-tu aidée aujourd'hui dans la cellule, et avec le corbeau animalter?

— Je n'ai pas le choix, répond Razan en grimaçant de douleur.

Ses blessures le font souffrir. Parler n'est pas facile pour lui en ce moment.

— Tu n'as pas le choix? répète Arielle, intriguée.

Razan déglutit difficilement, puis s'humecte les lèvres.

— Noah t'aime, dit-il.

— Ça, je le sais, répond froidement la jeune fille.

— Je suis l'alter de Noah. À cause de lui, cet amour… cet amour existe aussi en moi.

Nouvelle grimace de douleur.

— Parfois… parfois, l'idée qu'il puisse t'arriver quelque chose m'est insupportable. (Razan fait une pause pour reprendre son souffle.) Amusant, non?

Arielle baisse la tête, tout en poussant un grand soupir.

— Arielle! la sermonne Brutal. Arrête de lui parler!

La jeune fille a envie d'interrompre la conversation, comme Brutal le lui conseille, et de retourner dans le fond de sa cellule, mais elle n'en fait rien, sans vraiment savoir pourquoi.

— Qu'est-ce que tu essaies de me dire? demande-t-elle à Razan sur un ton las. Que, d'une certaine façon, tu m'aimes, toi aussi?

Elle a parlé avec lassitude, mais aussi avec agacement. L'éventualité que Razan tombe amoureux d'elle ne la réjouit pas particulièrement.

Cette fois, l'alter secoue la tête, ce qui exige de sa part un effort supplémentaire.

— T'emballe pas, princesse, répond-il. Non, je ne t'aime pas. De toute façon, t'aimer serait du suicide. Et j'en suis pas encore là.

Du suicide? Arielle comprend ce qu'il veut dire en se remémorant ce que lui a raconté Emmanuel à ce propos: «Les alters sont des créatures démoniaques qui possèdent de grands pouvoirs, mais qui ont aussi un important point faible: leurs âmes perverties ne peuvent supporter les sentiments amoureux, c'est contre nature. Dès qu'ils tombent amoureux, ils commencent à mourir. Leurs âmes se flétrissent et ils s'éteignent peu à peu. Généralement, ils ne survivent pas plus d'une ou deux nuits.»

— Heureusement que tu souhaites sauver tous ces idiots d'humains, ajoute Razan avec un petit sourire en coin qui est rapidement chassé par la douleur. Ça me rappelle constamment que tu es l'une des leurs, et donc... que tu es aussi bête qu'eux.

Arielle croise les bras et l'observe en silence. *Et si je faisais en sorte qu'il tombe amoureux de moi?* se dit-elle. *Razan disparaîtrait, comme Elleira. Noah serait alors libéré de son alter pour toujours.*

— Je sais à quoi tu penses, princesse, fait Razan en ricanant du fond de sa cellule. Je te conseille d'y renoncer: je trouverai bien la force de te tordre le cou avant de succomber à tes charmes.

17

Le Danaïde *survole une haute montagne au sommet enneigé, avant de descendre enfin vers Lost Lake.*

— Impressionnant! lance Geri en observant la montagne.

— Le mont Hood, les informe Ael en se référant à l'ordinateur de bord.

Elle leur explique que c'est la plus haute montagne d'Oregon. Il s'agit en fait d'un stratovolcan, principalement constitué de coulées de lave refroidie ainsi que de dômes et de cônes volcaniques. Si les données récupérées dans la mémoire de Jason sont exactes, ajoute l'alter en relevant la tête vers le pare-brise, c'est à l'intérieur de cette montagne que se trouve le Canyon sombre. Les elfes ont fait venir des nains et des géants du Jotunheim pour le creuser. Il y a environ cent cinquante ans, une éruption a bien failli détruire le repaire, mais il a tenu bon.

— Et on y accède comment? demande Freki.

– Par un couloir sous-marin qui relie le lac et l'intérieur de la montagne, répond Ael.

Avant l'invention des submersibles, poursuit la jeune alter, les elfes se servaient d'un autre accès situé au pied de la montagne, mais celui-ci a été condamné il y a longtemps ; les sylphors craignaient que les touristes ne finissent par le découvrir.

Ael s'adresse ensuite à son copilote :

– Geri, rapproche-nous de l'eau.

Le doberman obéit sur-le-champ. Il change l'orientation des turboréacteurs et stabilise l'appareil à quelques mètres au-dessus du lac.

– Parfait, dit Ael. Maintenant, tu vas m'aider à remanier cet appareil pour en faire un sous-marin.

Geri ne semble pas rassuré, mais acquiesce tout de même.

– Tu l'as déjà fait avant ?

– Une fois seulement, répond la jeune fille en appuyant sur une série de boutons. Bon, ceci devrait transformer les empennages en gouvernail. Et avec les manettes qui sont à ta droite, tu devrais être en mesure de faire sortir les hélices.

La cabine est secouée par d'étranges vibrations dès qu'Ael et son copilote se mettent à la tâche. Des échos de grondements et de grincements prolongés leur parviennent de l'extérieur. On dirait de grosses pièces métalliques qui se déplacent avec lourdeur ; le fuselage du *Danaïde* est en train de se modifier. Certaines parties sont repliées dans l'appareil, alors que d'autres sont déployées. Les composantes qui font du

Danaïde un avion hypersonique sont tour à tour remplacées par celles qui en font un véhicule submersible. Mais il n'y a pas que le fuselage de l'appareil qui subit des modifications; l'intérieur du poste de pilotage est remanié lui aussi: le tableau de bord se rétracte et, après avoir roulé sur lui-même, disparaît dans le nez de l'appareil. Il est bientôt remplacé par un nouveau panneau de commande. Les outils de navigation qui s'y trouvent ressemblent davantage à ceux d'un navire.

L'étonnement se lit sur le visage de Jason; il paraît très impressionné par les capacités de l'engin.

— Avec ce genre de technologie, affirme-t-il avec excitation, les Alliés n'auraient fait qu'une bouchée des nazis, croyez-moi!

— Tous les compartiments sont étanches! annonce Geri alors que les secousses et les bruits de grondements se poursuivent.

— Parfait, répond Ael.

Elle fait ensuite l'inventaire de ses nouveaux indicateurs de bord:

— Barre de plongée, OK. Gouvernail de plongée avant, OK. Turboalternateur, OK. Moteur électrique principal, OK. Moteur auxiliaire, OK. Conduite de la propulsion, OK.

— Tout est en place, lance Geri.

— Dès que je te le dirai, tu couperas les turboréacteurs.

Le doberman hoche la tête.

Cloisons étanches de la soufflante et de la tuyère d'échappement prêtes à être fermées! dit-il.

Ael prend une grande inspiration. Elle jette un dernier coup d'œil à son copilote avant de lui donner son signal :

– Allons-y !

Geri coupe les deux réacteurs et active le mécanisme de fermeture de leurs cloisons étanches. Dès que la poussée des réacteurs cesse de les maintenir au-dessus de l'eau, le *Danaïde* chute de plusieurs mètres et plonge dans le lac. Après une brève descente, l'appareil remonte lentement à la surface.

– Tout m'a l'air d'aller pour l'instant, affirme Ael en consultant ses indicateurs de bord. Aucune fuite ?

– Aucune, selon l'ordinateur, répond Geri qui est tout aussi concentré que la jeune alter.

Le *Danaïde* flotte paisiblement sur Lost Lake. Les vagues le font tanguer légèrement. À l'intérieur, Ael appuie sur une autre série de boutons de commande.

– Ouverture des ballasts, déclare-t-elle sur un ton neutre, le même qu'elle utilise depuis le début des opérations. Ils m'ont l'air de se remplir correctement, ajoute la jeune alter en suivant le compteur.

– Phase d'immersion presque terminée ! dit Geri. Assiette négative.

Au bout de quelques secondes, il lance :

– Ça y est, on est en plongée !

L'eau froide et sombre du lac recouvre entièrement le *Danaïde*. Geri s'empresse d'allumer les projecteurs extérieurs. Dans le pare-brise apparaît alors un paysage morne et obscur, aux teintes verdâtres, surtout composé de petites particules blanches, en suspension, qui ressemblent à une averse de neige figée. Quelques poissons, au loin, modifient nerveusement leur course pour ne pas croiser celle de l'appareil. À travers les hublots, Freki et Jason suivent les colonnes de bulles d'air qui remontent lentement à la surface.

— J'active le sonar, les informe Ael.

Le sonar commence à émettre des ondes et à recevoir les premiers échos. Les bruits sourds et intermittents résonnent dans la cabine : PING… PING… PING…

— Immersion : 70 mètres, dit Geri, qui fait maintenant office de timonier. Angle de l'assiette : - 5°.

L'avion/sous-marin s'enfonce à vitesse régulière dans les profondeurs de Lost Lake. Ael demeure penchée sur l'ordinateur de bord.

— Profondeur idéale bientôt atteinte, annonce-t-elle. Entrée du passage droit devant, à environ 800 mètres.

— Bien compris ! répond Geri. Propulsion avant enclenchée ! Vitesse : 1,8 nœud, et en augmentation.

— Laissons-nous guider par l'ordinateur, propose Ael tout en analysant les différentes données qui apparaissent sur son écran. Il utilisera mieux que nous le sonar pour s'orienter dans le passage.

Après quelques secondes, l'ouverture du passage apparaît enfin devant eux. Jason et Freki abandonnent leur place à l'arrière et rejoignent leurs compagnons dans le poste de pilotage. Debout derrière Ael et Geri, ils suivent attentivement la lente progression du *Danaïde*. Les projecteurs extérieurs balaient l'entrée de la grotte. L'ouverture, de forme ovale, paraît assez large pour laisser passer le *Danaïde*.

— Les ailes sont repliées? demande Ael afin de s'assurer qu'il n'y aura aucun accrochage lors de l'entrée.

Geri acquiesce en silence. Il est complètement absorbé.

Guidé seulement par l'ordinateur de bord, l'appareil pénètre lentement dans la grotte. La galerie sous-marine est creusée à même la paroi rocheuse. Elle semble s'étendre sur plusieurs kilomètres. Aucun doute qu'elle les conduira au cœur du mont Hood. Tout au long du trajet, les feux croisés des projecteurs glissent sur les parois internes de la grotte; celles-ci sont si lisses qu'on les croirait polies. Il n'y a aucun obstacle à contourner, aucune courbe, pas même une petite dénivellation. Le couloir sous-marin est rectiligne de l'entrée à la sortie.

— Distance parcourue: 2,6 kilomètres! annonce finalement Ael après quelques minutes de navigation paisible. Geri, stoppe les machines. L'issue du passage devrait se trouver à moins de cent mètres au-dessus de nous.

— Propulsion interrompue. Assiette à zéro.

— Fais-nous remonter! ordonne Ael.

— *Yavol, mein Kommandant!* répond Geri tout en s'activant. Chasse aux ballasts!

De l'air est envoyé dans les ballasts, ce qui chasse l'eau des réservoirs et fait remonter lentement le *Danaïde*.

– Immersion : 45 mètres, dit Ael en suivant l'indicateur de profondeur. 40 mètres… 35 mètres… 30 mètres…. On y est presque !

Un peu moins de trente mètres plus loin, la ligne de surface traverse enfin le pare-brise. Ils ont atteint la zone de débarquement. Privé de la stabilité que lui apportait la pression de l'eau, l'appareil se remet à tanguer dès qu'il se retrouve à l'air libre. Ael demande à Geri de diriger le *Danaïde* vers l'extrémité du bassin, là où se trouve le quai de débarquement. À celui-ci sont amarrés une grue sur ponton ainsi que deux autres submersibles, beaucoup plus grands que le *Danaïde*. Sans doute ceux qu'utilisent les sylphors pour entrer dans le Canyon sombre et en ressortir.

– Il y aura un comité d'accueil ? demande Freki après s'être assuré que son épée fantôme et ses injecteurs acidus sont bien à leur place.

– Ça m'étonnerait, répond Ael.

– On n'est jamais assez prudent, intervient Geri. Il a bien fallu que quelqu'un ramène ces deux sous-marins, non ?

Une fois le *Danaïde* amarré aux côtés de la grue et des autres submersibles, Geri et Ael quittent leurs sièges et prennent eux aussi leurs armes de combat. Jason attrape ses marteaux, les fait tourner dans ses mains, puis les rengaine.

– Tu veux nous épater, cow-boy ? demande Ael tout en faisant glisser la lame bleutée de son épée fantôme dans le fourreau accroché à sa taille.

– Seulement toi, répond Jason.

La réponse du chevalier surprend Ael ; elle paraît déstabilisée.

Geri ouvre la porte du *Danaïde*. L'appareil est parfaitement accosté au quai de débarquement.

– Du travail de pro ! se vante le doberman.

Le bassin et le quai ont été aménagés à l'intérieur d'une grotte. Il règne une forte odeur de soufre. Les parois rocheuses sont plutôt sombres et suintantes. Les stalagmites de lave qui occupaient jadis le sol ont été rasées, mais on a épargné les stalactites de la voûte, qui pointent toujours gracieusement vers le bas.

Geri saute sur le quai. Il est rapidement rejoint par Jason et Ael. Freki est le dernier à se présenter à la porte. Il s'apprête à quitter l'appareil et à se joindre au reste de l'équipe lorsqu'il entend un bruit derrière lui. Il n'a pas le temps de se retourner. Une douleur aussi soudaine qu'intense irradie dans tout son corps. Quelque chose a pénétré son dos, au niveau des reins. Il se force à baisser les yeux et constate que l'objet a aussi traversé son abdomen : c'est une lame d'épée fantôme, elle le transperce de part en part. Le doberman essaie de crier, mais rien ne sort de sa bouche, il demeure muet. La douleur se transforme en sensation de brûlure ; il brûle, mais de l'intérieur. Ses organes sont en train de se consumer, de se liquéfier lorsqu'il entend le cri de Geri en provenance du quai de débarquement : « OH ! MON DIEU !… FREKI ! NOOOOON ! »

18

La plupart des habitants de Belle-de-Jour ont repris conscience.

Dès leur réveil, Arielle s'assure que Rose, Émile et l'oncle Sim vont bien.

– J'ai une méchante migraine, répond Rose depuis leur cellule à tous les trois. Mais à part ça, tout est OK.

– Qu'est-ce qui s'est passé? lance Émile en se relevant à son tour. C'est quoi, cet endroit?

– Nous sommes dans les cachots du manoir Bombyx, répond Sim à la place d'Arielle.

Avant de devenir l'oncle d'Arielle, Sim a été Simon Vanesse. Ce manoir a appartenu à son grand-père, Xavier Vanesse, avant que celui-ci ne soit «possédé intégralement» par Reivax, son alter. Il est donc logique que Simon (maintenant l'oncle Sim) connaisse l'existence de cette prison.

Arielle leur résume les événements de la soirée: elle leur parle du gaz soporifique, du réveil des alters, des coffres de fonderie, de l'arrivée des sylphors et de la bataille sanglante qui a suivi.

– Qui aurait cru qu'un jour il se passerait autant de choses à Belle-de-Jour! déclare Rose après la narration d'Arielle.

– Alors, tous les alters de Belle-de-Jour ont été tués? demande Sim.

– C'est ce que je crois, répond Arielle.

Elle ajoute que seuls les habitants de Belle-de-Jour qui n'ont pas d'alter ont été épargnés.

– Ils n'ont fait aucun mal aux humains? fait Sim.

– En tout cas, pas à ceux qui étaient présents à la fête, intervient Brutal.

– Heureusement que nos parents ne sont pas venus ce soir, dit Émile à Rose. Au moins, ils sont à l'abri.

– Tout comme Elizabeth et ma mère, ajoute Arielle. Pour ce qui est des invités de la fête, ils ont tous été enfermés ici, avec nous, en attendant de...

Elle hésite à poursuivre.

– En attendant de *quoi*? l'interroge Rose, intriguée.

– En attendant qu'on les transforme en kobolds, complète Razan de sa cellule.

La cellule de l'alter est adjacente à celle où sont enfermés Rose, Émile et Sim.

– Noah Davidoff? fait Rose tout en se rapprochant des barreaux qui la séparent de l'alter. C'est bien toi? Pourquoi ils t'ont enchaîné comme ça?

– Ce n'est pas Noah, s'empresse de rectifier Brutal. C'est Razan.

– *Razan?* répète Rose. Mmm... ordinaire comme nom. N'empêche, je le trouve plus beau que Noah. Il a l'air, disons, plus mature.

– Il est sous sa forme alter, explique Arielle.

Rose hausse les épaules, sans cesser de fixer Razan.

– Je suis pas sûre de comprendre ce que ça veut dire, mais je trouve quand même qu'il a plus de gueule que Noah.

Le portail au bout du couloir s'ouvre brusquement et un groupe de vieux kobolds fait son entrée dans la prison, sous le regard neutre des elfes noirs qui les accompagnent. *Ils sont au moins une centaine*, se dit Arielle à mesure qu'ils pénètrent dans la prison. Les kobolds défilent lentement dans le couloir qui sépare les deux rangées de cellules. Leur démarche est lasse ; ils marchent l'un à la suite de l'autre, en file indienne. Arielle et ses compagnons les observent depuis leur cellule. Le dos courbé, le regard éteint, ils avancent sans réfléchir, comme des bêtes que l'on conduit à l'abattoir. *Ils se ressemblent tous*, note Arielle. Ils sont petits et chétifs. Leur visage fatigué est sillonné de rides, et la mince couche de peau qui recouvre leurs os apparents a pris une teinte bleutée, ce qui leur donne un air de cadavre. Leurs membres sont maigres et fragiles, et leur crâne dégarni, où s'accrochent encore quelques mèches de cheveux jaunis, est parsemé de petites taches sombres et suspectes. *Autrefois, ils devaient ressembler à des êtres humains*, suppose Arielle. Mais, aujourd'hui, ils ont l'apparence de vieillards centenaires ; des vieillards qui se sont fanés beaucoup trop vite, selon la jeune fille, et dont l'énergie vitale semble avoir été drainée au profit d'une autre entité.

– Déploiement! commande soudain un des sylphors.

Tous les kobolds s'immobilisent au même moment, puis se tournent lentement afin de faire face aux cellules.

– Le moment est venu, déclare Razan avec ironie. Place à la relève.

Les habitants de Belle-de-Jour commencent à parler entre eux.

– Qui sont ces vieillards? demande un des membres de la famille Lecompte depuis sa cellule.

– Jamais vu ces gars-là, répond l'un des Davidson. Ils ne sont pas de Belle-de-Jour, en tout cas.

Les échanges ne sont que murmures au début, mais se transforment assez vite en débats bruyants.

– Que font-ils ici? s'inquiète Wilfrid Thomas.

– Ouais, et pourquoi ils nous fixent comme ça?

– J'ai peur, mon amour! J'ai vraiment peur!

Les voix s'élèvent, certaines paniquées, d'autres agressives.

– C'est une blague ou quoi? Je veux voir Xavier Vanesse! Allez me chercher Xavier Vanesse!

– L'Halloween, c'était il y a deux semaines! Je croyais qu'on fêtait le jeune Davidoff ce soir!

– Maman, qui sont ces gens? Ils ont l'air tellement vieux.

– Ouvrez ces portes! Laissez-nous sortir!

– Ils puent, maman. Et ils sont laids!

– Éloignez-vous, bon sang! Vous ne voyez pas que vous faites peur aux enfants?!

Cris et invectives ont définitivement remplacé les discussions. La cacophonie et le désordre qui règnent désormais dans la prison témoignent bien de l'affolement qui s'est emparé des habitants. Cela ne semble pas gêner les vieux kobolds; ils demeurent impassibles devant le lot d'injures qui leur est adressé. Lentement, d'une manière solennelle, chacun d'entre eux sort une dague fantôme de son ceinturon et l'exhibe fièrement: «Ce fut un honneur de servir!» récitent-ils en chœur. Puis, en pointant les habitants avec leur dague, les kobolds ajoutent: «C'en est un autre de transmettre notre cœur et notre rang!» Étrangement, leurs voix fortes et déterminées contrastent avec la fragilité et les hésitations de leur corps.

— Arielle! s'écrie Rose, inquiète de ce qui va suivre. Arielle, qu'est-ce qu'ils vont nous faire?

Arielle secoue la tête. Elle n'en sait rien. Aucun kobold ne s'est arrêté devant sa cellule, pas plus que devant celles de Brutal et de Razan. Les kobolds semblent vouloir s'en prendre uniquement aux habitants «humains» de Belle-de-Jour, et non à ceux, comme Arielle, Razan et Brutal, qui évoluent sous une forme alter.

— Où sont Émile Rivard et Rose Anger-Boudrias? demande soudain un grand elfe noir en se faufilant entre les kobolds. Où êtes-vous?

Rose échange un regard avec Arielle. *Que nous veut-il?* Arielle hausse les épaules pour signifier qu'elle ignore tout des intentions du sylphor.

— Nous sommes ici! crie finalement Rose en espérant que l'appel du sylphor soit de bon augure.

Le grand elfe s'approche de leur cellule. Sans précaution, il écarte les trois kobolds qui se trouvaient devant.

– C'est moi, Rose Anger-Boudrias, lui dit Rose. Et lui, c'est Émile Rivard.

Le sylphor observe les deux jeunes gens en silence, puis tourne la tête vers Sim.

– Et toi, tu es l'oncle d'Arielle Queen ?

L'oncle Sim répond par un simple hochement de tête.

– Très bien, fait l'elfe.

Il déverrouille la porte de la cellule et leur demande de sortir. Il fait ensuite un signe en direction du poste de garde. Deux autres elfes viennent aussitôt le rejoindre.

– Conduisez-les dans la salle de bal, leur ordonne le grand elfe en désignant les proches d'Arielle. Lothar les attend là-bas.

– Attendez ! s'écrie Arielle de l'autre côté du couloir. Pourquoi Lothar veut-il rencontrer mon oncle et mes amis ?

Le grand sylphor ne répond pas. Il oblige plutôt Sim, Rose et Émile à avancer.

– Il ne veut pas les rencontrer, affirme Razan, toujours enchaîné au mur de sa cellule. Il veut les garder auprès de lui, au cas où tu tenterais quelque chose.

– C'est à eux qu'il s'en prendrait alors, ajoute Brutal. Une façon de s'assurer que nous resterons bien tranquilles.

Rose, Émile et Sim adressent un dernier regard à Arielle avant de suivre les elfes jusqu'au portail de la prison. *La peur et le doute se lisent dans leurs yeux*, se dit Arielle alors qu'ils sont poussés hors des cachots.

– Quelqu'un a prévenu Lothar que tu les connaissais, soutient Razan. En échange d'une faveur, ou peut-être sous le coup de la torture.

– J'en connais un seul à qui ça profiterait, déclare Brutal.

Razan acquiesce :

– Je suis d'accord avec ton minet.

Arielle réfléchit un moment.

– Reivax ? suggère-t-elle au bout de quelques secondes.

Razan et Brutal n'ont nul besoin de confirmer ; juste à leur air, la jeune fille sait qu'elle a visé juste.

– Il est toujours vivant, vous croyez ?

– Reivax constitue une prise de choix pour les sylphors, répond Brutal. Le maître de Bombyx est un alter influent au sein de la communauté d'Amérique, explique l'animalter. Il sait beaucoup de choses et peut servir de monnaie d'échange en cas de besoin. On ne sait pas ce qui se passe réellement dans la tête de Lothar. Peut-être souhaite-t-il provoquer les autres alters. Peut-être agit-il ainsi pour les forcer à réagir, pour les obliger à contre-attaquer et à se porter au secours de Reivax.

Brutal est interrompu par l'arrivée d'un autre groupe de sylphors. Ils sont au nombre de six et paraissent plus grands et plus costauds que les autres elfes noirs. Leurs vêtements aussi sont différents : leur corps est recouvert d'une armure sombre, qui paraît à la fois souple et robuste. Ils ont des bottes aux pieds et des gants aux mains. Leur visage est caché sous un masque de tissu qui ressemble à ceux que portent les Ninjas, et à leur ceinture pendent deux petites épées ainsi qu'un long fouet enroulé sur lui-même.

— Des sycophantes! lance Brutal en apercevant les sylphors masqués. Spécialistes du renseignement... et de la torture. Je croyais qu'ils avaient tous disparu.

— Lothar en a entraîné d'autres, dit Razan.

Sans attendre, les sycophantes ouvrent la porte de la première cellule, celle qui est située tout près du poste de garde, et poussent trois kobolds à l'intérieur. Ils y entrent aussi, en prenant soin de refermer la porte derrière eux. Dans cette cellule se trouve un avocat de Belle-de-Jour, Tom Dupré, ainsi que ses deux enfants: Lucie et Peter. Les elfes s'emparent de Tom et le forcent à s'approcher des vieux kobolds. D'une main tremblante, l'un des kobolds offre sa dague fantôme à Dupré. «Prends-la!» lui enjoint l'un des sycophantes. Dupré s'exécute à contrecœur. «Très bien. Maintenant, transperce-lui le cœur avec la lame!» exige le même elfe.

— NON! proteste Dupré.

— Vas-y! hurle le sycophante. Vas-y, ou ce sont tes enfants qui devront le faire!

Dupré tente de se débattre, mais les elfes le rappellent rapidement à l'ordre. Les sycophantes sont beaucoup plus puissants que les autres sylphors; aucun humain ne paraît assez fort pour leur résister. Arielle n'est pas convaincue qu'elle-même y arriverait.

Un des sycophantes frappe Dupré à la tête, puis le force à lever le bras en direction du premier kobold.

– Tue-le! ordonne le sycophante.

Le bout de la lame est maintenant appuyé contre la poitrine du kobold.

– Qu'allez-vous faire de mes enfants? demande Dupré.

Les elfes éclatent de rire.

– On va leur donner une nouvelle vie! répond l'un d'eux. Tout comme à toi, et à tous ceux qui sont ici!

Un elfe oblige Dupré à planter la dague dans le cœur du kobold. Un sourire apparaît sur le visage émacié du vieux serviteur, puis il ferme les yeux. « Merci », souffle-t-il après avoir poussé un grand soupir. L'instant d'après, tout son corps se dessèche; sa chair commence à peler et finit par tomber en lambeaux. Ses membres se rompent un à un, puis sont réduits en poussière dès qu'ils touchent le sol. Au bout d'un moment, il ne reste plus du kobold qu'un petit tas de cendre.

L'avocat n'a pas bougé : son bras est toujours tendu et l'arme se trouve toujours dans sa main. Il fixe avec horreur la lame de la dague. Au centre de celle-ci est planté le cœur encore battant du kobold.

– Mange-le! grogne un sycophante.

Dupré secoue la tête.

– Jamais…

– Mange son cœur, ou tes enfants vont mourir!

– Arrêtez! les supplie Arielle de sa cellule. Laissez-le tranquille!

– Économise tes forces, princesse, lui conseille Razan de l'autre côté du couloir. Ils n'écouteront rien.

– Mais on ne peut pas les laisser faire! proteste Arielle.

Dupré regarde une dernière fois ses enfants. « Je vous aime », leur dit-il. Il approche ensuite le cœur battant de sa bouche. Après avoir fermé les yeux, comme pour réciter silencieusement une prière, Dupré mord dans l'organe gorgé de sang.

– PAPA! NON! s'écrient ensemble Lucie et Peter.

Le sang du kobold se répand sur le menton et dans le cou de Dupré, comme il se répand dans ses veines et dans son propre cœur. L'avocat reprend une bouchée, puis une autre, jusqu'à ce qu'il ne reste plus rien de l'organe. Bientôt, Arielle le sait, Tom Dupré deviendra un fidèle serviteur des elfes noirs. *C'est ce qu'Emmanuel a fait subir à Elizabeth*, songe-t-elle. Elle ressent soudain beaucoup de compassion pour son amie : *Des démons!* se dit-elle ensuite. *Je vais tous les exterminer! Sans pitié! Je vais les pourchasser et les tuer, un par un s'il le faut!* C'est la première fois de sa vie qu'Arielle est habitée par une telle colère, et elle en vient à se demander si ces sentiments odieux lui appartiennent vraiment. Elle se souvient alors de ce que lui a dit Loki, peu avant son départ de l'Helheim : « Le mal existe en toi, comme il existe en chacune des sœurs reines. » *Si le mal existe vraiment en moi*, se demande Arielle, *est-ce lui qui se manifeste en ce moment?*

Un des elfes qui ont observé la scène depuis le poste de garde s'approche de la cellule des Dupré. Il tient un fer rouge dans sa main, comme ceux dont on se sert pour marquer le bétail. Il le passe entre les barreaux de la cellule et le donne à un sycophante. Ce dernier utilise le fer pour marquer les deux poignets de Dupré, qui ne montre pas le moindre signe douleur. L'avocat relève simplement les bras et examine d'un air hagard les deux brûlures en forme de poignard qui fument sur ses poignets.

– Vous êtes des monstres ! rugit Arielle.

Les sycophantes poussent Dupré dans un coin de la cellule, puis s'agenouillent auprès de Lucie et de Peter. Terrifiés, les deux enfants ne peuvent retenir leurs larmes. Les elfes n'en font pas de cas : ils prennent le petit garçon et la petite fille dans leurs bras et les soulèvent afin qu'ils puissent faire face aux kobolds. Ils posent ensuite des dagues fantômes dans leurs petites mains.

– Tu crois que tu peux atteindre le cœur du vieux monsieur avec le joli couteau ? demande un sycophante à Lucie.

– Pas les enfants ! crie Arielle. Je vous en supplie, pas les enfants !

Les autres habitants de Belle-de-Jour se joignent à Arielle depuis leurs cellules respectives. La plupart ont déjà compris qu'ils seront les prochains sur la liste des sycophantes.

– Arrêtez ! Vous êtes fous ! Laissez ces pauvres enfants !

– Reposez-les par terre ! Immédiatement !

— Arrêtez! C'est trop horrible! On ne vous laissera pas vous en tirer aussi facilement, vous entendez?

Les sycophantes continuent, malgré les menaces et les protestations des prisonniers. Sans la moindre hésitation, ils font de Lucie et de Peter Dupré de jeunes serviteurs kobolds. Ils passent ensuite à la cellule suivante et répètent le même rituel. Ils le feront jusqu'à ce que tous les habitants de Belle-de-Jour enfermés dans les cachots soient transformés en kobolds. *C'est une occasion rêvée pour les elfes de renouveler leur stock de serviteurs*, conclut tristement Arielle, *et ils ne passeront pas à côté*. La jeune fille est dévastée par ce constat, tout autant qu'elle l'est par son incapacité à intervenir.

— Ael, Jason, dépêchez-vous de revenir, murmure-t-elle pour elle-même.

19

– Ça y est, nous sommes arrivés à destination! dit Mastermyr en se redressant pour ouvrir la trappe de la soute.

– Pas tout de suite! intervient Gabrielle. Attendons que nos amis aient quitté le *Danaïde*.

Le sylphor pousse un soupir d'exaspération; il a du mal à contenir son impatience. Il n'en peut plus d'être enfermé dans ce compartiment exigu, surtout que la soute s'est considérablement réduite depuis la transformation du *Danaïde* en sous-marin.

Après plusieurs secondes de réflexion, le jeune voïvode s'éloigne finalement de la trappe, à la grande satisfaction de Gabrielle. La nécromancienne demande ensuite à son fils et à Elizabeth de garder le silence. L'oreille attentive, elle attend qu'Ael et sa bande aient ouvert la porte extérieure du *Danaïde* avant de donner le feu vert à Mastermyr. Dès que le mécanisme d'ouverture résonne dans la soute, elle lève son pouce en sa direction.

– Maintenant, tu peux y aller!

Mastermyr ouvre précipitamment la trappe et se hisse sur le pont. Il aide ensuite sa mère à monter. Elizabeth doit attendre la main de Gabrielle avant de pouvoir s'extraire à son tour de la soute.

Aussitôt qu'il a lâché la main de Gabrielle, Mastermyr s'élance vers la porte ouverte du *Danaïde*. Un des passagers s'y trouve toujours; le dernier sans doute. Il est de dos, mais son pelage noir et ses grandes oreilles le trahissent: il s'agit d'un doberman animalter. Le doberman s'apprête à sauter pour aller rejoindre ses amis sur le quai de débarquement lorsque Mastermyr se glisse derrière lui et s'empare de son épée fantôme. Après avoir rapidement dégainé l'épée du fourreau, le sylphor la plante sauvagement dans le dos du doberman, sans que celui-ci ait le temps de réagir. La lame fantôme s'enfonce aisément dans la chair de l'animalter; Mastermyr la déplace de bas en haut, des reins aux omoplates, afin de causer le plus de dommages possible à l'intérieur du corps. Le doberman n'émet aucune plainte. Ses bras s'écartent, tremblants, et son corps, pris de spasmes, s'incline involontairement vers l'arrière. Mastermyr le soutient, mais seulement pour mieux continuer à le torturer.

Des cris proviennent alors du quai en contrebas. Une voix affligée s'écrie: «OH! MON DIEU!… FREKI! NOOOOON!»

Ce n'est pas suffisant pour arrêter le jeune sylphor.

– Ça suffit! lance Gabrielle derrière lui. Il faut sortir du *Danaïde* et leur régler leur compte maintenant, sinon nous perdrons l'avantage de la surprise!

Mais Mastermyr ne veut rien entendre: il s'entête à faire jouer la lame dans les entrailles du doberman.

– Arrête! insiste sa mère. Tu vois bien qu'il est mort!

Horrifiés, Geri, Jason et Ael assistent au spectacle depuis le quai. Ils ont l'impression d'être en plein cauchemar. Ils sont figés sur place, comme dans les rêves. Ils essaient de bouger, mais leurs membres refusent de leur obéir. À quelques mètres d'eux, leur compagnon est mis à mort par un ennemi inconnu, et ils ne font rien pour empêcher cela. Ils sont incapables de réagir. *Freki va mourir,* se dit Geri. *On est en train de tuer mon meilleur ami, là, sous mes yeux.* L'engourdissement général qui immobilisait son corps disparaît d'un coup: ses muscles se détendent et il reprend le contrôle de chacun de ses membres. En toute hâte, comme s'il voulait rattraper ce précieux temps perdu, le doberman dégaine son épée et fait un bond qui lui permet d'atteindre la porte du *Danaïde*.

– Jason! Ael! crie-t-il en posant le pied sur le seuil de la porte, heureux que sa force et son instinct soient enfin revenus.

Le chevalier fulgur et la jeune alter sortent eux aussi de leur léthargie et accourent vers le *Danaïde*. Comprenant ce que Geri attend d'eux, ils se placent directement sous la porte, les bras grands ouverts. Un peu plus haut, ils voient Geri qui, sans la moindre hésitation, agrippe Freki par les pans de son manteau et le tire vers lui. Le doberman parvient ainsi à libérer son ami de la lame fantôme qui le traversait de part en part. Il laisse ensuite tomber Freki vers le quai, où l'attrapent Jason et Ael qui s'empressent de le déposer par terre et d'examiner ses blessures. Le constat n'est pas rassurant : une large entaille s'étend de son ventre à sa poitrine, et il perd beaucoup de sang. Les hémorragies fusent de partout. Les rares organes internes épargnés par le tranchant de la lame fantôme ont été carbonisés par son incandescence bleutée.

Geri se retrouve maintenant face à face avec celui qui s'en est pris à Freki. Un sylphor. Il le reconnaît à sa peau blanchâtre et à ses oreilles pointues. Ses traits ne lui sont pas inconnus. Il faut une demi-seconde de plus à Geri pour reconnaître Emmanuel Queen, le frère d'Arielle, ce kobold devenu sylphor puis voïvode grâce à l'Élévation elfique que lui a accordée Falko, son père. Depuis sa transformation, le jeune elfe se fait appeler Mastermyr.

L'épée fantôme de Freki brille toujours dans la main du sylphor.

— Ton ami est mort, dit-il.

Malgré les regards haineux que lui lance le doberman, le visage de l'elfe s'éclaire d'un large sourire.

– J'aimerais pouvoir te dire qu'il n'a pas souffert… mais ce n'est pas le cas.

Il n'en faut pas plus à Geri pour brandir son épée et foncer sur le sylphor, mais il n'a pas le temps d'atteindre sa cible : une ombre se jette sur Mastermyr et l'enveloppe avec ses bras. « *Alio viaticas locas!* » entend l'animalter, puis l'ombre et le sylphor disparaissent tous les deux comme par magie. Épée devant, Geri ne rencontre que le vide. L'élan de sa charge le conduit profondément à l'intérieur du *Danaïde*; il doit s'obliger à ralentir pour ne pas s'écraser contre la paroi du fond. En se retournant, il aperçoit une jeune fille dans l'habitacle. Elle l'observe avec ses grands yeux tristes et perdus. Geri remarque la brûlure en forme de poignard sur l'un de ses poignets : c'est la marque des kobolds. Il a l'impression de connaître la fille. *C'est Elizabeth, l'amie d'Arielle,* se dit-il. *Qu'est-ce qu'elle peut bien faire ici?* Mais il n'a pas le temps d'y réfléchir davantage. Il veut retrouver Mastermyr! Geri ne trouvera pas la paix tant que ce sale elfe n'aura pas payé pour ce qu'il a fait subir à Freki. Il retourne en vitesse à la porte du *Danaïde*. Avant de sauter, il voit Mastermyr et l'ombre qui réapparaissent plus loin sur le quai, à proximité des deux submersibles appartenant aux elfes. *Comment ils ont fait pour arriver jusque-là?* se demande le doberman. Le jeune elfe et l'ombre qui l'accompagne fuient tous deux vers les portes d'un hangar situé dans la partie la plus reculée de la grotte. Geri ne s'attarde pas : il abandonne le *Danaïde* et s'élance à la poursuite des deux fuyards. *L'ombre qui court avec Mastermyr est une femme*, note l'animalter. Elle est rousse et jette sans cesse des regards par-dessus son épaule, pour voir s'ils sont suivis. Geri parvient à distinguer son visage : c'est Gabrielle Queen, la mère d'Arielle. L'animalter est de nouveau confondu : la dernière fois qu'on lui a parlé de Gabrielle et d'Elizabeth, c'était pour l'informer qu'elles se trouvaient toutes deux dans la même chambre, à l'hôpital de Belle-de-Jour.

Geri n'est pas assez rapide pour rattraper l'elfe et la femme. Dès que Mastermyr et Gabrielle franchissent les portes du hangar, celles-ci se referment derrière eux. *Ces portes ne se sont pas activées toutes seules*, se dit Geri en continuant de courir vers elles. *Des gens se sont chargés de les fermer. Des gens qui gardent le repaire en permanence. Peut-être des elfes, ou encore des kobolds, les mêmes qui pilotent ces sous-marins.*

Une fois qu'il a atteint les portes du hangar, l'animalter leur assène une série de coups de pied et de coups de poing. Il essaie de les transpercer à divers endroits à l'aide de son épée fantôme, convaincu que derrière elles se trouve le principal accès au Canyon sombre. « Je vais t'avoir, le sylphor ! crie-t-il à l'intention de Mastermyr. Voïvode ou pas, je vais t'avoir ! Et ce jour-là, crois-moi, je vais tellement te faire souffrir que tu vas me supplier de te tuer ! »

– GERI ! crie Jason à l'autre extrémité de la grotte. GERI ! REVIENS !

Ael et Jason se trouvent toujours sur le quai, à proximité du *Danaïde*. Ils sont agenouillés auprès de Freki. Les projecteurs du bassin leur servent d'éclairage. Rapidement, Geri franchit la distance qui le sépare de ses amis.

– Comment va-t-il ?

– Il ne va pas bien, répond Jason.

Geri jette un coup d'œil aux blessures de son ami, puis lève les yeux vers Ael. La jeune alter se contente de secouer la tête pour signifier qu'il n'y a plus rien à faire.

– NON ! proteste Geri. On va le conduire à l'hôpital... ou chez un vétérinaire ! Je vais aller préparer le *Danaïde*.

– Geri, intervient Ael pour le calmer.

– Silence ! rétorque celui-ci. Je dois réfléchir !

– Freki a besoin de toi, déclare Jason en prenant l'épaule de Geri. Il a besoin de toi *maintenant*.

Geri baisse les yeux vers son ami. Freki lui sourit, malgré la douleur.

– Freki, mon Dieu...

Geri ne peut retenir ses larmes.

– Qu'est-ce qu'il t'a fait ?...

Freki pose sa main sur l'avant-bras de son ami.

– Tu... tu es mon frère, Geri. On se donne rendez-vous dans l'Helheim... d'accord ?...

– T'en va pas, mon vieux. T'en va pas...

Mais Freki a déjà fermé les yeux. Geri prend son ami dans ses bras et le serre contre lui. Il l'étreint comme jamais il n'a étreint personne auparavant. Bientôt, Freki rend son dernier soupir ; il quitte le royaume des vivants pour celui des morts. « On se reverra, lui glisse Geri à l'oreille. Je te jure qu'on se reverra... » Entre les bras de Geri, le corps de Freki perd lentement ses attributs humains et redevient celui d'un chien : un doberman robuste, au pelage sombre et au regard sympathique.

20

Leur besogne terminée, les syco-phantes quittent enfin les cachots.

Avec eux, ils emmènent la famille Le compte – les derniers invités de la fête à avoir été transformés en serviteurs kobolds. Seuls les trois elfes affectés au poste de garde demeurent dans la prison. Toutes les cellules sont inoccupées à présent, toutes sauf celles d'Arielle, de Brutal et de Razan.

Arielle est assise en tailleur dans un coin de sa cellule, loin de l'affreux bol en étain servant de toilettes. Les bras croisés, elle examine d'un regard las les autres cellules qui l'entourent. Il n'y a pas si longtemps, ces cellules étroites et nauséabondes contenaient des familles entières. Maintenant, elles sont vides… et silencieuses. À l'intérieur, il n'y a plus que des petits tas de poussière, répartis un peu partout sur la paille pourrie du sol : ce sont les corps asséchés et réduits en cendres des vieux kobolds. Chacun de ces kobolds a été remplacé par un citoyen de Belle-de-Jour : un adulte ou encore un enfant. *Il y a eu tellement de cris, tellement de supplications,* songe Arielle. Plaintes et gémissements résonnent en boucle dans son esprit. Ces échos de souffrance sont accompagnés de visions d'horreur tout aussi obsédantes : l'une des images les plus horribles est celle des sycophantes obligeant les jeunes enfants à mordre avec leurs petites dents dans le cœur des kobolds. Arielle revoit les enfants qui pleurent, puis qui vomissent, ainsi que leurs parents qui se débattent, sans espoir, entre les bras puissants des sycophantes. À deux reprises, les sycophantes ont attendu que la transformation des parents soit complète avant de poursuivre avec leurs enfants. Ils ont exigé des parents qu'ils se chargent eux-mêmes de leur progéniture. Devenus de véritables serviteurs kobolds, dociles et asservis, les parents ont alors obligé leurs propres enfants à tuer les vieux kobolds et à manger leur cœur encore battant. Pendant ce temps, cachés derrière leur masque noir, les sycophantes riaient à gorge déployée.

C'était… insupportable.

— Que se passera-t-il avec ceux qui n'étaient pas à la fête ? demande Brutal pour briser un silence qui dure depuis plusieurs minutes.

— Les nouveaux kobolds vont se charger d'eux, répond Razan.

Il ajoute que les sylphors lâcheront probablement leurs nouveaux serviteurs dans la ville, afin qu'ils traquent les autres habitants de Belle-de-Jour, ceux qui sont encore humains. Les kobolds rabattront sans doute ces derniers vers le manoir, où ils pourront être capturés puis convertis à leur tour. Si les traqueurs font bien leur travail, toute la ville sera assimilée d'ici la fin de la nuit, conclut Razan.

Arielle pense à sa mère et à Elizabeth, lesquelles sont toujours à l'hôpital. Que va-t-il leur arriver? Seront-elles victimes de cette chasse à l'homme? Évidemment, pourquoi y échapperaient-elles? *Pauvre Eli*, se dit Arielle en songeant que son amie se remettait à peine d'une transformation en kobold. *Elle devra y faire face de nouveau. Va-t-elle le supporter?*

– On ne peut pas rester les bras croisés! soutient Brutal. Il faut trouver un moyen de sortir d'ici!

– D'accord avec toi, champion, dit Razan. Pourquoi tu ne prendrais pas ta forme animale, hein? Tu pourrais te faufiler entre les barreaux et aller te balader près du poste de garde. Les elfes ont une très bonne ouïe, mais je suis certain qu'avec délicatesse tu arriverais à leur piquer leurs clés.

Brutal ne dit rien. Il baisse la tête et prend un air gêné.

– Quoi? fait Razan. C'est pas une bonne idée? Ne me dis pas que tu as peur?

– Je ne peux pas, explique Brutal sans pouvoir dissimuler son embarras. Je ne peux pas me transformer à volonté, comme les autres animalters. Je ne contrôle pas mes mutations aussi bien que mes semblables, voilà.

Brutal dit vrai. Arielle l'a constaté elle-même, il y a quelques jours, dans sa chambre à coucher: le pauvre Brutal, qui, épuisé, s'était endormi sous la couette du lit, s'était soudainement transformé en animalter lorsque le soleil s'était couché. Arielle avait dû lui passer ses vêtements sous les couvertures étant donné qu'il était complètement nu en dessous.

Razan pousse un profond soupir.

– Manquait plus que ça… un animalter invalide!

– On ne fera rien, intervient subitement Arielle. Si l'on tente quoi que ce soit, Lothar fera du mal à mon oncle et à mes amis, et j'ai pas envie que ça se produise.

– Et que fais-tu des autres habitants de Belle-de-Jour? demande Razan sur un ton de défi. Ils ont besoin de toi, eux aussi, non?

– Depuis quand tu t'intéresses aux humains? rétorque Arielle.

Razan sourit, mais ne répond rien.

Ils se replongent tous dans le silence. Du temps passe. De longues minutes qui leur rappellent à tous leur impuissance. Arielle est maintenant adossée au mur de pierre de sa cellule. Ses jambes sont étendues devant elle, mais ses bras sont toujours croisés.

– Noah, tu es là? lance-t-elle soudain en direction de Razan, comme si elle essayait de le provoquer.

Arielle est convaincue que Noah se trouve toujours à l'intérieur de Razan. Si elle parvient à surprendre l'alter alors que sa garde est baissée, peut-être que Noah réussira à briser la barrière mentale qui le maintient à l'écart et arrivera à reprendre le contrôle de son corps.

– Ton petit copain dort profondément, affirme Razan de l'autre côté du couloir.

La situation de l'alter n'a pas changé: des chaînes en acier le retiennent toujours prisonnier.

– J'essaie justement de le réveiller, réplique Arielle, quelque peu déçue de sa performance.

– Meilleure chance la prochaine fois, princesse.

Un autre moment de silence.

– Pourquoi à la pêche?

Cette fois, la question d'Arielle surprend réellement Razan.

– Quoi?

– Pourquoi tu prenais la place de Noah quand il allait à la pêche? C'est bien ce que tu as prétendu tout à l'heure, non?

Arielle répète *grosso modo* ce que lui a confié Razan plus tôt dans la soirée: «Je réussissais à contrôler Noah, surtout à l'école et lorsqu'il allait à la pêche.»

– C'est vrai, reconnaît finalement l'alter.

Le bruit des chaînes accompagne le moindre de ses mouvements. Il poursuit tout de même:

– Je t'ai dit aussi que la lignée des Davidoff était une lignée maudite.

– Ne te fatigue pas, rétorque Arielle, je sais que c'est faux.

– Mais alors, pourquoi tu continues de lui poser des questions? s'indigne Brutal. Tu sais qu'on ne peut pas se fier à ce qu'il raconte!

La jeune fille hoche la tête: elle est d'accord avec Brutal, mais Razan éveille quand même sa curiosité. Il y a quelque chose chez l'alter qui la fascine, quelque chose qu'elle est incapable d'identifier. Cet étrange envoûtement, elle le doit peut-être au mal qui vit soi-disant en elle. *Le mal est attiré par le mal*, se dit-elle, *comme le bien cherche à tendre vers le bien.* Malgré cela, Arielle n'a pas l'intention de se laisser perturber par quoi que ce soit, ou par *qui* que ce soit.

– La lignée des Davidoff est une lignée d'élus, corrige-t-elle à l'intention de Razan.

– Je te l'accorde, dit l'alter. Mais ça n'empêche pas qu'ils sont tous fous à lier. Y compris ton cher Noah !

– Tu penses que je vais croire ça ?

– Bien sûr que non. Et à vrai dire, je m'en fous complètement. Mais je vais quand même te raconter l'histoire. Tu sais qui était la première de ta lignée ?

– Non. Et toi, tu le sais ?

– Je suis l'alter de Noah, princesse, lui rappelle Razan. J'ai accès à sa mémoire. Ses ancêtres lui parlent aussi quelquefois. Ils aiment bien se remémorer la vieille époque.

Après avoir marqué une pause, l'alter poursuit :

– La première de ta lignée s'appelait Sylvanelle. C'était une fille de paysan, rude et vulgaire. On l'avait surnommée «la quean» à cause de ses mœurs légères.

Selon Razan, le mot «quean» vient du vieil anglais «*cwene*» qui, à l'époque féodale, signifiait «serve» ou encore «prostituée». Elle était l'arrière-petite-fille illégitime d'Erik Thorvaldsson, le célèbre explorateur viking surnommé Erik le Rouge. (Arielle sait maintenant d'où lui vient cette tignasse rousse qui fait son malheur chaque fois qu'elle doit abandonner son corps d'alter pour redevenir humaine. Ce legs, elle le doit apparemment à ses origines normandes. *Je m'en serais bien passée*, songe-t-elle.) Sylvanelle a immigré en France, explique Razan, mais elle était originaire du duché de Normandie. À son arrivée en France, elle était seule et sans argent. Une matrone l'a obligée à se prostituer, en échange d'un logis. Pour une fille de barbare originaire du nord, c'était déjà pas mal. Au début, sa chevelure flamboyante lui a valu le surnom de Sylvanelle la « saura », qui signifie « rousse », mais ce surnom a été rapidement remplacé par un autre, qui collait mieux à son statut de putain : Sylvanelle la « quean ». Elle a fait la connaissance de Mikita peu de temps après son arrivée. Le jeune Mikita, fils de David le Slave, avait quitté Kiev pour des raisons obscures. Tous deux avaient seize ans à l'époque. Une semaine après leur rencontre, un nouveau client de la matrone, un étranger, a exigé d'obtenir les services de Sylvanelle pendant toute une journée. Il a même offert de payer le double du tarif habituel. C'était en fait un prétexte pour rencontrer Sylvanelle, et l'éloigner de la ville. Avant leur départ, l'étranger a demandé à la jeune fille d'aller quérir son compagnon, Mikita. Certaine que l'homme était un noble et qu'il souhaitait les prendre tous les deux à son service, Sylvanelle s'est empressée d'aller chercher son jeune amoureux. Mais le noble ne les a pas pris à son service. Il leur a plutôt confié deux médaillons en forme de demi-lune, et leur a bien conseillé de ne pas les vendre pour s'acheter de la nourriture. L'étranger se prétendait chasseur de démons et disait avoir volé les deux médaillons à un groupe d'adorateurs diaboliques.

– Le nom de l'homme était Ulf Thorvald, conclut Razan.

Ce nom rappelle quelque chose à Arielle. Elle se souvient que Saddington lui a parlé de ce Thorvald. C'est cet homme qui a volé les médaillons demi-lunes au groupe d'adorateurs de Loki en 1150. Mais après avoir quitté les pays du Nord, Thorvald a disparu. C'est lui qui aurait créé la fraternité de Mjölnir, qui plus tard allait devenir l'ordre des chevaliers fulgurs.

– Il leur a remis les médaillons? demande Arielle.

Razan acquiesce.

– Après leur avoir expliqué ce qu'ils devaient en faire. Thorvald leur a aussi parlé des alters et des sylphors. Il leur a expliqué qu'ils devaient les combattre sans relâche, jusqu'à ce que les deux races de démons soient enfin vaincues. C'est pendant l'année suivante que le nom de Sylvanelle s'est transformé. Ce sont des alters venus d'Angleterre qui l'ont surnommée Sylvanelle la « queen », parce que la jeune fille aurait été une adversaire redoutable, selon la légende. Une reine de la guerre. D'autres prétendent que les alters avaient tout simplement mal orthographié son nom.

– Et Mikita? demande Arielle.

Razan lui explique que Mikita avait menti sur les raisons de son départ. S'il avait quitté Kiev, c'était parce qu'on l'accusait de meurtre. Il avait fui pour échapper à son exécution.

– Il avait tué des gens?

– Une femme et son bébé, répond Razan.

Cette révélation trouble Arielle. Elle se demande si l'alter de Noah dit vraiment la vérité. *C'est possible*, conclut-elle, *mais il est aussi possible que toute cette histoire ne soit que pure invention.*

– Que s'est-il passé entre Sylvanelle et lui?

Toujours selon Razan, c'est seulement deux ans plus tard que Sylvanelle aurait appris le crime de Mikita. C'est une jeune paysanne jalouse, à qui Mikita avait fait un enfant quelques mois auparavant, qui lui aurait tout raconté. Cette paysanne s'appelait Katinka et était aussi d'origine slave; on dit que c'est elle qui aurait donné naissance au premier descendant de Mikita, engendrant ainsi la lignée des fils de David, les Davidoff. En apprenant ce que Mikita avait fait, Sylvanelle l'aurait affronté, exigeant des explications. Après tout ce temps passé ensemble, à combattre les elfes et les alters, la jeune élue se serait sentie trahie.

Mikita aurait commencé par tout nier, du meurtre de la femme de Kiev et de son bébé jusqu'à sa relation avec Katinka. Mais en voyant qu'il n'arriverait pas à convaincre Sylvanelle, il aurait finalement décidé de s'en prendre à elle. Sur le coup de minuit, les deux premiers élus auraient sorti leurs épées et auraient engagé le combat. Une fois qu'il se serait débarrassé de Sylvanelle, Mikita prévoyait aussi éliminer Katinka, la mère de son enfant. Le jeune Slave croyait qu'en réduisant les deux femmes au silence, il garderait son secret intact et que jamais il ne serait puni pour ses crimes. Leur combat aurait duré jusqu'à l'aube. C'est Sylvanelle qui en serait sortie vainqueur. On raconte que c'est avec les larmes aux yeux qu'elle aurait achevé Mikita. C'est ainsi qu'elle aurait sauvé sa propre vie, mais aussi celle de Katinka, la jeune paysanne, mère du premier enfant qui porta officiellement le nom de Davidoff. Après avoir fait une pause, Razan ajoute :

— Mikita voulait tuer Sylvanelle, ton ancêtre. Pour la faire taire. Tu te rends compte, princesse ?

Arielle secoue vigoureusement la tête, et finit par éclater de rire.

— C'est comme ça que tu espères me convaincre que Noah est dangereux ? Tu penses qu'un jour, il va essayer de me tuer, lui aussi ?

— Mikita a été le premier d'une longue lignée de déséquilibrés. Parmi les descendants Davidoff, il y a eu six meurtriers, trois violeurs, deux déments et même un nécrophage, paraît-il. Beaucoup se sont suicidés, d'autres ont été exécutés pour leurs crimes…

— T'as beaucoup d'imagination pour un alter, intervient Brutal depuis sa cellule. Tu devrais écrire des romans.

Razan n'accorde aucune attention à l'animalter. Il continue de parler à Arielle :

— Tu sais pourquoi j'ai maîtrisé la possession intégrale si jeune ? Parce que Noah m'a offert plusieurs occasions de la pratiquer. C'est lui qui m'y a poussé, princesse. C'est lui qui voulait que je prenne sa place quand il allait à la pêche. Qui l'emmenait à la pêche, selon toi?

Arielle fait signe qu'elle n'en a aucune idée.

– Son grand-père, Mikaël Davidoff. Et tu sais ce que lui faisait son grand-père à la pêche?

Cette fois, Arielle n'a plus envie de rire, et n'est plus du tout certaine de vouloir entendre la suite.

– Il lui faisait des choses terribles, poursuit Razan. Tellement terribles que Noah m'implorait de prendre sa place, parce qu'il était incapable de les supporter.

– Tu veux dire que…

Arielle est incapable de terminer sa phrase.

– Mikaël Davidoff a laissé d'horribles souvenirs à son petit-fils. Le genre de souvenirs qu'aucun enfant ne veut conserver. Je dois te faire un dessin?

Arielle baisse la tête.

– Si tu dis vrai… alors, ça veut dire que…

– Noah est un lâche, la coupe aussitôt Razan. C'est un faible. C'est moi qui devais affronter le vieux Mikaël à sa place. J'ai toujours été celui qui encaissait les coups durs.

Arielle se lève et s'avance vers le devant de sa cellule. Entre les barreaux, elle observe silencieusement Razan.

– Tu ne me crois toujours pas, hein? lui demande l'alter.

– Ton histoire prouve seulement que Noah est une victime, répond-elle. Pas qu'il est fou ou démoniaque.

Razan se met à rire.

— Noah t'a obligée à l'embrasser, il y a deux ans, à ton anniversaire. Et je peux t'assurer qu'il n'y est pas allé de main morte.

— Je n'en ai aucun souvenir.

— Il a modifié ta mémoire, je te l'ai déjà expliqué.

— Tu ne m'as donné aucune preuve, répond Arielle. Je dois me fier uniquement à ta parole. Désolée, mais pour moi la parole d'un alter ne vaut pas grand-chose.

— Une preuve? s'étonne Razan. Tu veux une preuve?

Il pouffe de rire de nouveau.

— La meilleure preuve est sur le visage de Noah. Cette cicatrice, c'est *toi* qui la lui as faite, princesse.

21

*Gabrielle et Mastermyr ont échappé
à l'animalter qui les poursuivait,
mais ne ralentissent pas la cadence
pour autant.*

– Merci, mère, dit le sylphor alors que les deux lourdes portes du hangar se referment derrière eux, mais, vraiment, je n'avais pas besoin de ton aide. J'aurais pu m'occuper seul de cette sale bête, comme je me suis occupé de son copain !

– Je nous ai fait gagner du temps, répond Gabrielle. C'était ma seule intention.

L'endroit ressemble à un vaste hangar à bateaux. Curieusement, aucun navire ne s'y trouve. L'espace est occupé uniquement par deux engins identiques : des espèces de grosses foreuses mécaniques munies d'habitacles servant probablement à loger les opérateurs.

– Des trépans mobiles XV-23, de classe GIMLI, explique Mastermyr alors qu'ils contournent les étranges véhicules. Plus besoin de géants ou de nains pour creuser les galeries souterraines maintenant.

Après avoir traversé le hangar, ils s'engagent tous les deux dans un petit couloir mal éclairé, au plafond voûté. À première vue, ce couloir ne semble mener nulle part.

— Comment on va faire pour retourner à Belle-de-Jour? demande Mastermyr. Sans le *Danaïde*, ce sera difficile.

— Le plus important, c'est de récupérer le *vade-mecum*. Pour le reste, on verra plus tard.

Des lumières s'allument soudain au plafond et éclairent leurs pas à mesure qu'ils progressent dans le couloir. *Quelqu'un sait que nous arrivons*, songe Gabrielle.

Au bout d'une minute, ils atteignent enfin une porte. Sa surface est miroitante, ce qui la fait ressembler à une porte d'ascenseur. Au-dessus de son cadre, il y a une inscription: CS-1A.

— Premier accès sécurisé, annonce Mastermyr. Derrière se trouve un poste de contrôle.

Beaucoup plus petite que celles du hangar, cette porte s'ouvre à l'aide d'un code numérique. Mastermyr se dépêche de taper son code sur un petit clavier rectangulaire. La porte coulissante glisse aussitôt et disparaît dans la paroi rocheuse. Le sylphor et la nécromancienne quittent alors le couloir et pénètrent dans la pièce aux angles arrondis. Les murs sont peints en vert, comme ceux de certains hôpitaux. À l'extrémité de la pièce se trouve une autre porte, identique à celle que Gabrielle et Mastermyr viennent de franchir. L'un des murs latéraux est couvert d'écrans de surveillance reliés à une console. Un jeune homme chauve et costaud est installé à la console. Il porte un casque d'écoute et scrute attentivement les écrans à tour de rôle. Gabrielle identifie très vite son rang : c'est un serviteur kobold ; les marques sur ses poignets ne trompent pas. C'est sans doute lui qui a été désigné d'office pour demeurer en poste au Canyon sombre le jour où Falko et les autres ont quitté Lost Lake pour se rendre à Belle-de-Jour.

Dès qu'il comprend qu'il n'est plus seul, le jeune homme cesse de regarder ses écrans et retire son casque. Il quitte son siège et se précipite vers Mastermyr.

– Emmanuel ! lance-t-il en ouvrant les bras. C'est bien vous ? Mais on dirait que…

Mastermyr le repousse brutalement et s'avance jusqu'au mur d'écrans.

– Je suis Mastermyr ! le corrige-t-il sur un ton sévère tout en prenant place derrière la console.

– Mais… qu'est-ce qui s'est passé ? demande le jeune kobold. Je n'ai pas de nouvelles de Falko depuis des jours et…

– Falko est mort, déclare Mastermyr entre ses dents. Notre clan a été décimé par les alters de Belle-de-Jour. Je suis le nouveau voïvode maintenant. Tu ne vois donc pas que Falko m'a accordé l'Élévation elfique ?

– Si, si, mais je ne me doutais pas que…

Mastermyr ne le laisse pas terminer :

– Mathéo, je te présente ma mère. Mère, voici Mathéo.

Le kobold salue Gabrielle avec respect, mais celle-ci n'a aucun regard pour lui.

217

– C'est lui qui a ouvert les portes du hangar? demande la nécromancienne.

Mastermyr répond par l'affirmative, tout en indiquant un écran sur le mur. Gabrielle s'en approche et constate qu'elle peut y suivre tout ce qui se passe sur le quai d'embarquement: au premier plan, elle voit le *Danaïde* et quelques-uns de ses passagers. Ils sont tous agenouillés autour d'un animalter canin, celui que Mastermyr a mortellement blessé. Derrière eux, à l'arrière-plan, il y a la grue sur ponton et, à droite, la nécromancienne distingue les deux autres sous-marins, ceux des elfes, qui flottent paisiblement à la surface du bassin.

Mastermyr tape une série de données sur le clavier de la console.

– Qu'est-ce que tu fais? l'interroge sa mère.

Le jeune sylphor termine ce qu'il est en train de faire avant de répondre:

– J'ai fermé la cloison étanche, celle qui relie le bassin du quai au passage sous-marin. Le *Danaïde* ne pourra pas sortir d'ici. En tout cas, pas sans nous.

Il tape une autre commande sur le clavier. L'autre porte, celle qui est située à l'autre bout de la pièce, s'ouvre alors. Elle donne non pas sur une autre pièce ou sur un autre couloir, mais sur une cabine d'ascenseur.

– Il est temps de passer aux choses sérieuses! déclare Mastermyr en entraînant Gabrielle vers l'ascenseur. Nous montons au dernier niveau, dit-il ensuite au kobold. Débrouille-toi pour que l'accès aux coffres soit déverrouillé à notre arrivée.

– À vos ordres, patron. Mais je ne pourrai rien faire pour le champ de force.

– Oublie le champ de force. Je m'en occupe.

Mastermyr et Gabrielle pénètrent à l'intérieur de l'ascenseur.

– Patron, regardez! s'écrie soudain Mathéo.

Il se lève de son siège et pointe l'index vers un écran. Celui-ci montre une jeune fille d'environ seize ans, qui se tient devant la porte ouverte du *Danaïde*. Elle a une queue de cheval et porte une paire de lunettes noires à large monture. Elle paraît triste et désemparée, on dirait une enfant abandonnée.

– Ses poignets! fait remarquer Mathéo. Mais... c'est une kobold!

– Et alors? répond simplement Mastermyr en appuyant sur l'un des boutons de commande de l'ascenseur.

Mathéo ne comprend pas: pourquoi le voïvode et la nécromancienne ne se soucient-ils pas de la jeune kobold? Et pourquoi l'ont-ils laissée derrière? Elle est l'une des leurs, après tout, non?

– Mais, patron, dit le kobold en se retournant. On ne peut pas...

C'est trop tard: la porte s'est refermée et l'ascenseur s'élève déjà vers le dernier niveau.

– Pas de maelströms intraterrestres ici? demande Gabrielle tout en examinant l'intérieur de la cabine.

— Le mont Hood est trop instable, répond Mastermyr. Rappelle-toi : c'est un volcan.

Le Canyon sombre a été creusé dans la partie la plus éloignée du cœur de la montagne, explique le sylphor, c'est-à-dire qu'il est situé à bonne distance de la chambre et de la cheminée magmatique du volcan. Tout dans le repaire a été pensé en fonction de la sécurité de ses occupants. Les parois internes et externes ont été renforcées et sont maintenant équipées de puissants refroidisseurs. Chaque cloison est étanche. Des dynamos, des générateurs d'oxygène et des purificateurs d'air ont été installés dans chacune des pièces stratégiques. Des masques à oxygène ont été prévus, ainsi que des combinaisons protectrices. Dans le cas improbable où il y aurait une fuite de lave, des rigoles souterraines ont été aménagées à divers endroits dans le repaire afin de permettre le détournement puis l'évacuation du liquide en fusion. Enfin, si les coulées de lave du mont Hood recouvraient la montagne, ou encore bloquaient le passage menant au lac, les foreuses XV-23, aperçues un peu plus tôt dans le hangar à bateaux, serviraient à creuser une issue jusqu'à la surface.

— Nous y voici, annonce Mastermyr alors qu'ils atteignent le dernier étage du Canyon.

Mère et fils sortent de l'ascenseur et s'avancent dans l'antichambre du niveau. La seule chose qui les sépare de la salle des coffres est un immense portail en forme de chouette. Le portail s'ouvre lentement lorsque le sylphor et la nécromancienne s'en approchent. Mathéo a donc fait son boulot. Gabrielle hésite un moment, mais Mastermyr lui fait signe de le suivre et tous les deux entrent finalement dans la salle des coffres. C'est une vaste pièce, au plafond très haut. Le plancher et les murs sont recouverts du même matériau : des dalles carrées, de couleur bleu métal, qui donnent un aspect froid et hostile à toute la pièce. Chacun de leurs pas résonne sur le carrelage, comme s'ils portaient des chaussures à talons hauts : TOC!... TOC!... TOC!... À quelques mètres devant eux, sur le mur du fond, s'élèvent trois énormes portes; des portes hautes et larges, en acier, qui paraissent tellement lourdes que seul un troll arriverait à les ouvrir.

— Trois coffres, déclare Mastermyr en s'arrêtant devant les portes en acier.

Il prend un air admiratif.

— Trois coffres qui contiennent chacun un trésor, poursuit le sylphor. Ici sont gardés nos biens les plus précieux, mère.

— Tu peux les ouvrir tous les trois ? demande Gabrielle.

Elle sait que dans l'un de ces coffres se trouve le *vade-mecum* des Queen. Mais que peuvent bien contenir les deux autres ?

— Seulement deux, répond Mastermyr. Le troisième ne pourra être ouvert que par mon héritier. Le sang d'un voïvode suffit pour ouvrir la première porte, explique-t-il. Pour la deuxième porte, il faut le sang de *deux* voïvodes. Et pour la troisième, *trois* sangs mêlés doivent être offerts. Rien d'autre ne fonctionne. Même ton pouvoir de téléportation est inefficace ici.

Le sylphor s'approche de la première porte, celle de droite, et pose une main sur sa surface, à l'endroit même où se trouve une petite cavité en forme de clé. Gabrielle remarque que les deux autres portes possèdent le même genre de creux.

— Dans cette main circule le sang de Falko! récite Mastermyr à voix haute, comme s'il s'agissait d'une incantation.

Une espèce de pointe émerge alors de la cavité et transperce la main du sylphor. Celui-ci ne bronche pas alors que le sang s'échappe de sa blessure et se répand sur son poignet et sur son avant-bras.

— Régale-toi du sang de Falko! déclare-t-il.

Mastermyr retire sa main et fait un pas en arrière.

— Kerkuil, ouvre-toi! ordonne-t-il ensuite à la porte.

La porte émet un grondement, comme si l'on venait de déverrouiller d'un coup son immense serrure, puis commence à s'ouvrir. Une forte lumière blanche, provenant de l'entrebâillement, inonde aussitôt la pièce. Elle s'atténue à mesure que l'ouverture de la porte se fait plus grande. Lorsque celle-ci est complètement ouverte, Gabrielle réalise que cette lumière est émise par le champ de force qui entoure le *vade-mecum* des Queen.

— Le voilà! dit Mastermyr.

Le livre flotte littéralement à l'intérieur du coffre, uniquement soutenu par le champ de force qui le protège. Gabrielle est fascinée. Il est enfin là, devant elle, presque à portée de main : le *vade-mecum* des Queen, ce livre sacré qui a été volé aux nécromanciennes il y a plusieurs siècles par Sylvanelle la quean, et qui a été récupéré plus tard par les sylphors de l'Ancien Monde. *Ce livre est chargé d'histoire*, se dit-elle. *Quel dommage de devoir le remettre à Lothar. Les nécromanciennes en feraient certainement un meilleur usage !*

– *I niman odoth Masterfalk !* s'écrie alors Mastermyr en direction du champ de force. Je parle au nom de celui qui m'a fait !

Puis il ajoute :

– *I niman ! I niman odoth !* Je t'ordonne de libérer le trésor !

Le champ de force se fait soudain moins dense, et son éclat, moins éblouissant. Le livre quitte sa place dans le coffre et s'avance lentement vers Mastermyr, comme s'il était porté par une main invisible. Lorsque le *vade-mecum* se pose enfin dans la main tendue du sylphor, le champ de force a entièrement disparu.

Gabrielle s'approche pour l'admirer. Le livre est petit, de la grosseur d'un livre de poche, et sa reliure semble être en cuir. Un cuir brun, qui n'est pas animal… plutôt humain.

– Quelqu'un s'est servi de la peau de Sylvanelle pour relier ce livre, affirme la nécromancienne tout en l'examinant. Voilà pourquoi il ne peut être utilisé que par les élues de la lignée des Queen. Il s'agit d'une forme de sortilège.

Elle lève les yeux vers Mastermyr.

– Je peux le toucher ?

Le sylphor fait signe que non.

– Pas tout de suite. Voyons tout d'abord ce que contient l'autre coffre.

Il ne me fait pas confiance, songe Gabrielle.

Mastermyr range le *vade-mecum* dans une poche de son manteau, puis se déplace vers le second coffre. Il applique une main sur la cavité en forme de clé.

– Dans cette main circulent les sangs mêlés de Falko et de Mastermyr !

Une autre pointe, pareille à celle de la première porte, surgit de la cavité et s'enfonce dans la chair de Mastermyr. Encore une fois, le sylphor ne manifeste aucune douleur. Alors que le sang coule sur sa main, il déclare :

– Régale-toi du sang de Falko et de Mastermyr !

Après s'être éloigné, il ajoute :

– Kerkuil, ouvre-toi !

Le même grondement se répète. Gabrielle va se placer derrière Mastermyr et observe en silence la deuxième porte qui s'ouvre à son tour. La mère et le fils sont tous deux impatients de découvrir quel trésor se cache dans ce coffre-ci. Peut-être une arme spéciale qui leur permettrait de vaincre les alters ? Tout espoir est permis. La porte prend une éternité à s'ouvrir. Ce n'est qu'après de longues secondes d'attente que Gabrielle et Mastermyr peuvent enfin contempler le contenu du coffre.

La première chose qu'ils distinguent, c'est une console d'ordinateur – d'un ancien modèle, apparemment. La console est munie d'un écran vert pâle et d'un clavier crasseux, qui sont tous deux posés sur un pupitre métallique, pas très récent lui non plus. Au centre de l'écran, il y a une série de chiffres en vert luminescent qui ne cessent de changer. On dirait un compte à rebours. Il affiche les heures, les minutes et les secondes, mais les premiers zéros de la séquence indiquent qu'il a déjà affiché les années, les mois et les jours :

$$00 : 00 : 00 : 05 : 01 : 45$$
$$00 : 00 : 00 : 05 : 01 : 44$$
$$00 : 00 : 00 : 05 : 01 : 43$$

Mauvais signe, se dit Gabrielle. Si elle se fie aux chiffres de l'écran, le compte à rebours se terminera dans environ cinq heures. *Que se passera-t-il dans cinq heures ?* Deux gros câbles noirs sont reliés à l'ordinateur. Ils serpentent sur le sol jusqu'à ce qu'ils se raccordent à un couple de gros objets, situés un peu plus loin derrière la console. Les objets ressemblent à des conteneurs – ou plutôt des caissons – de la grosseur de cercueils. Sur leur surface en métal s'alignent des rangées de rivets. Ils sont debout, à la verticale, et une petite vitre, de forme ovale, permet de voir ce qui se trouve à l'intérieur.

– Mon Dieu ! souffle Gabrielle à la vue du contenu des caissons.

Elle est incapable de bouger. Mastermyr aperçoit soudain ce qu'elle voit, et se fige lui aussi.

– Qu'est-ce que c'est que ça ? réussit à articuler Gabrielle malgré sa stupeur.

Mère et fils n'en croient pas leurs yeux.

— Incroyable, fait Mastermyr. Il y a sûrement plusieurs années qu'ils sont là-dedans.

Derrière les vitres ovales, Gabrielle et Mastermyr distinguent deux visages. Ils appartiennent à un couple de jeunes gens, qui paraissent endormis ou inconscients. Malgré le givre qui recouvre les vitres, l'elfe et la nécromancienne n'ont aucune peine à identifier les deux adolescents: il s'agit d'Arielle Queen et de Noah Davidoff.

— Comment peuvent-ils être à la fois ici et au manoir Bombyx? demande la nécromancienne. Ceux-là sont des jumeaux? Ou peut-être des clones?

Le sylphor secoue la tête, sans pouvoir détacher son regard des deux caissons.

— Non, dit-il. C'est encore mieux que ça.

Sur la console, le compte à rebours se poursuit:

00 : 00 : 00 : 05 : 00 : 01
00 : 00 : 00 : 05 : 00 : 00
00 : 00 : 00 : 04 : 59 : 59

22

Arielle reste muette...

Elle est incapable de prononcer le moindre mot. La bouche légèrement ouverte, elle fixe Razan à travers les barreaux de sa cellule. Les paroles de l'alter résonnent encore dans son esprit, elle n'arrive pas à s'en débarrasser : « Cette cicatrice, c'est *toi* qui la lui as faite, princesse. C'est toi ! TOI ! TOI ! »

– Je n'ai… je n'ai jamais fait de mal à Noah, parvient-elle à dire.

– Demande à ton minet, lance Razan. Il te confirmera tout ce que j'ai dit.

– Je ne confirmerai rien du tout ! rétorque aussitôt Brutal.

L'animalter s'adresse ensuite à Arielle :

– Il essaie de semer la confusion en toi. Ne te laisse pas faire. Tu es plus forte que lui.

La jeune fille réfléchit un moment.

– Depuis quand Noah a-t-il cette cicatrice ? demande-t-elle à Brutal.

L'animalter hésite.

– Réponds, Brutal, insiste Arielle. Avait-il cette cicatrice sur la joue quand il était enfant?

– Je ne suis pas certain, répond Brutal. Si tu te rappelles bien, je n'étais qu'un chaton à l'époque…

– Brutal, j'ai besoin de savoir. Essaie de te souvenir.

L'animalter baisse les yeux. L'hésitation se lit de nouveau sur son visage poilu.

– Non, dit-il comme s'il s'obligeait à parler.

Brutal est déchiré: il se retrouve dans une position où il doit corroborer les dires de Razan. Cela le contrarie au plus haut point. Il poursuit, mais avec la même résistance:

– Noah… Noah n'avait pas de cicatrice.

– Alors, elle est récente?

– Arielle…

– Réponds! Elle est récente, cette cicatrice, oui ou non?

Brutal hoche la tête.

– Quelques années, je dirais.

– Et voilà! s'exclame immédiatement Razan de l'autre côté du couloir.

Le ton de sa voix est triomphant.

– Ferme-la, démon! réplique Brutal en pointant l'alter du doigt. Un jour, tu vas me…

La porte de la prison s'ouvre avec fracas, interrompant la conversation. Arielle se demande comment les charnières ont fait pour tenir, tellement la porte s'est ouverte avec violence. Un géant fait son entrée dans les cachots. C'est Lothar. C'est lui qui a ouvert la porte, cela ne fait aucun doute. Il est plus âgé et mieux vêtu que les autres elfes, qui ont tous l'air de jeunes fugueurs. Sous son grand manteau brun, il porte une espèce d'armure moulante, de couleur sombre, et, en bandoulière, un carquois bourré de flèches elfiques. À sa ceinture pend une magnifique épée fantôme, sans doute confisquée à un chef alter ennemi après une victoire. Son crâne est rasé, comme celui des autres sylphors. L'une de ses oreilles a été amputée de sa partie supérieure, sûrement au cours d'un combat, et un cache-œil noir recouvre l'un de ses yeux. Son visage est beau, mais déformé par les nombreuses cicatrices. *Il a affronté plus d'un alter*, se dit Arielle. *Apparemment, chaque fois, il en est sorti vainqueur.* Derrière Lothar apparaissent deux sycophantes ainsi qu'une petite femme au dos voûté. La femme est vieille et marche lentement en s'aidant d'une canne. Sa peau est grise et craquelée. Les quelques cheveux qui poussent sur sa petite tête sèche sont sales et entremêlés, et au bout de ses longs doigts noueux poussent des ongles jaunes et tordus. Elle suit Lothar avec autant de peine que de détermination. Arielle est convaincue que la vieille femme est tout aussi dangereuse que Lothar, et ce, malgré son apparente fragilité. Mais pourquoi a-t-elle cette impression? Un frisson traverse l'adolescente lorsqu'elle comprend: la vieille femme lui rappelle Saddington.

Un des sycophantes qui accompagnent Lothar se met au garde-à-vous dans le couloir. Alors que Lothar passe devant lui, il annonce d'une voix solennelle:

– Accueillez Masterthrall, premier du nom! Aussi appelé Lothar, voïvode de l'Ancien Monde!

Lothar s'avance dans le couloir à la manière d'un souverain. Il essaie de rendre ses mouvements gracieux. À ses côtés, la vieille femme progresse plus humblement. La démarche de Lothar provoque le rire de Razan.

– Regardez-moi ça! fait l'alter. Le roi des elfes en personne!

– SILENCE! intervient aussitôt un sycophante.

Lothar et sa vieille compagne s'avancent jusqu'à la cellule d'Arielle. Ils se tournent tous les deux vers la jeune élue. Leurs regards se fixent sur son médaillon demi-lune.

– Quel joli bijou! s'écrie la vieille femme avec une voix éraillée.

D'instinct, l'élue pose la main sur son médaillon.

– J'aimerais bien le regarder de plus près, dit la femme.

Arielle ne discerne aucune dent dans sa bouche. *Et elle pue en plus! On dirait un cadavre qui ne sait pas qu'il est mort.*

– Ce médaillon est à moi, répond-elle en reculant vers le fond de sa cellule.

– Il *était* à toi, rétorque Lothar avec sa voix caverneuse de géant. Je ne pensais jamais mettre la main sur les deux médaillons demi-lunes aujourd'hui. Tu sais qui possède l'autre? Ta mère. J'ai fait vérifier la salle du coffre. Le médaillon du jeune Davidoff n'y est plus. Ça signifie que Gabrielle a mené à bien sa mission, et qu'elle s'est emparée du bijou.

– Ma mère? répète Arielle en s'avançant d'un pas. Qu'est-ce que ma mère vient faire là-dedans? Elle est à l'hôpital et...

Lothar se met à rire.

– Mais non! Elle a quitté l'hôpital, avec ton amie Elizabeth.

– C'est impossible!

– Elles sont toutes les deux à mon service maintenant. Tu ne le savais pas?

– Qu'est-ce que vous leur avez fait?

La jeune élue ne peut contenir son inquiétude. Elle s'est encore rapprochée de Lothar et de la vieille femme. Il n'y a plus que les barreaux qui les séparent à présent.

– Je vais vous tuer si vous leur avez fait du mal! les menace Arielle en serrant le poing.

– Je ne leur ai fait aucun mal, affirme Lothar. N'est-ce pas, Salvana? demande-t-il en se tournant vers la vieille femme.

Alors, elle s'appelle Salvana, se dit Arielle. *Sans doute une autre de ces nécromanciennes.*

– Elles ont rejoint notre communauté, déclare la vieille femme. Je ne sais pas encore pour Elizabeth, mais, pour ta mère, ç'a été une véritable libération. Elle est devenue une excellente nécromancienne, tu sais. Très appréciée parmi les siennes et...

– Je vais te tuer la première! la coupe Arielle. Espèce de vieille folle!

– Ne t'emporte pas, jeune fille...

– Je vais t'arracher les doigts, rugit l'adolescente, et je vais te les planter dans les yeux!

– Tu ne feras rien tant que nous détiendrons tes amis, intervient Lothar. Si tu ne te montres pas coopérative, ma chérie, c'est eux qui en paieront le prix.

Arielle comprend très bien qu'il fait allusion à Rose, à Émile et à l'oncle Sim.

– Ce ne sont pas mes amis !

– Inutile de mentir, lui dit Lothar. Nous avons vu comment tu les protégeais dans la salle de bal. Et Reivax nous a confirmé qu'il s'agissait bien de tes proches. Il nous a même révélé leur identité. Quel coquin, ce Reivax !

– Que lui avez-vous promis ?

– Une heure de vie de plus.

– Il est mort ?

– Pas encore, répond Lothar, mais ça ne saurait tarder. Sa survie dépend des informations qu'il nous fournira, tout comme la survie de tes amis dépend de ton niveau de coopération. Nous avons fait une découverte intéressante dans la salle de bal : trois coffres de fonderie, prêts à être utilisés. Reivax nous a expliqué ce qu'il voulait en faire. Nous avons trouvé l'idée fort originale. C'est pourquoi nous avons enfermé ton oncle et tes deux amis dans les coffres et les avons expédiés à la fonderie Saturnie. Alors, sache que si tu nous fais des misères, ma chérie, ils se verront aussitôt recouverts de métal en fusion. Un bloc d'acier refroidi, voilà ce qui restera d'eux si tu essaies de jouer à la plus maligne avec nous.

Arielle n'a d'autre choix que de se soumettre. Pas question de laisser son humeur mettre la vie de Sim et de ses amis en danger.

– Laisse-nous prendre ton médaillon, dit Salvana. Ce serait un excellent début. Une preuve de ta bonne volonté, en somme.

Arielle hésite un moment, puis s'avance encore plus près des barreaux.

– Arielle, ne fais pas ça! la supplie Brutal. Ils ont déjà celui de Noah. S'ils arrivent à réunir les deux médaillons, tous les alters disparaîtront de la surface de la Terre. Les elfes auront alors le champ libre et régneront en maîtres dans nos villes et nos villages. Selon la prophétie, ce sont les alters qui doivent détruire les elfes, pas l'inverse. Donner la victoire aux sylphors risque de créer un déséquilibre qui nous sera fatal à tous. Avant de détruire les alters, il faut attendre qu'ils aient éradiqué les elfes, c'est essentiel pour que la prophétie se réalise!

– Le minet a raison, princesse, renchérit calmement Razan depuis sa cellule.

– Voyons, ma chérie, fait Lothar qui perçoit soudain le doute chez Arielle, tu ne vas quand même pas te laisser influencer par un alter proscrit et un vulgaire animalter.

Il n'en faut pas plus à Brutal pour exploser:

– Un *vulgaire* animalter? C'est bien ce qu'il a dit?

Salvana profite de ce court moment de distraction pour passer une main entre les barreaux et attraper le médaillon demi-lune qui pend toujours au cou d'Arielle. La vieille femme tire sur le bijou, espérant que sa chaînette se brise et qu'elle puisse s'en emparer. Mais elle a beau y mettre toute sa force, la chaînette refuse de se rompre. Salvana relève lentement la tête, sans pour autant lâcher le médaillon, et finit par rencontrer le regard d'Arielle. Elle remarque tout de suite que les yeux de la jeune fille ont changé. Ils sont devenus noirs, complètement noirs. La femme ne distingue plus d'iris. On dirait deux billes lisses dans lesquelles se reflète son vieux visage paniqué. Un grognement sourd sort de la bouche de l'élue. Un son affreux qui vient tout droit de ses entrailles. «Mon Dieu! Arielle!» souffle Brutal dans l'autre cellule. Salvana est incapable de détacher son regard de la jeune fille. Mais à vrai dire, ce n'est plus une fille, on dirait plutôt une bête. Une bête enragée qui attrape la vieille femme par le cou et la soulève de terre: «*Le papillon déploie ses ailes et prend son envol!*» grogne Arielle tout en projetant Salvana à travers le couloir de la prison. Celle-ci va s'écraser contre les barreaux d'une cellule, puis s'écroule sur le sol. Les sycophantes ne tardent pas à intervenir. Ils déverrouillent la cellule d'Arielle et se jettent sur elle. Avec un calme déroutant, l'adolescente les agrippe un à un et les envoie à leur tour valser dans le couloir.

Lothar demeure paralysé, tant il est surpris par les événements. Il reprend néanmoins ses esprits au bout de quelques secondes et s'empresse de refermer la porte de la cellule. Tout en observant Arielle d'un air suspect, il recule vers Salvana et les sycophantes. Les elfes parviennent à se relever, mais la vieille femme demeure étendue par terre. Elle est morte. Sa bouche et ses yeux sont ouverts, figés dans la peur. Une fumée pâle se dégage de sa petite main osseuse, celle qui a essayé de prendre le médaillon. Lothar se penche sur elle et examine la paume de sa main. La chair porte une marque de brûlure laissée par le médaillon. Une marque en forme de cercle. Un cercle plein et noir, qui fume encore.

– La Lune noire, murmure Lothar en lâchant brusquement la main de Salvana, comme si elle était contaminée par un virus mortel. C'est… c'est la marque de la Lune noire.

Troublé par ce qu'il vient de découvrir, le grand elfe s'éloigne précipitamment du cadavre de Salvana.

– Débarrassez-vous du corps de la vieille! ordonne-t-il aux elfes du poste de garde. Verrouillez ensuite la prison, et veillez à ce que personne n'y entre, mais, surtout, à ce que personne n'en sorte!

Les elfes s'activent en silence. Lothar se tourne une dernière fois vers les cellules.

– Je t'avais prévenue, Arielle Queen! hurle-t-il, rageur. Ce sont tes amis qui en paieront le prix!

Avec impatience, Lothar pousse les sycophantes à l'extérieur de la prison et se dépêche d'aller les rejoindre. Dès que leur maître a quitté la prison, les elfes du poste de garde ferment la porte. L'un d'eux s'assure de pousser chacun des verrous.

– Arielle, ça va? lance Brutal. Arielle, regarde-moi!

Immobile au milieu de sa cellule, la jeune fille se tourne lentement vers l'animalter. Son regard n'a pas changé : il est toujours aussi noir, toujours aussi vide.

– Qu'est-ce qui s'est passé, Arielle ?

L'adolescente ne répond pas.

– Lothar a parlé d'une lune noire, dit Razan.

– Tu sais ce que c'est ? lui demande Brutal.

– Jamais entendu parler.

Arielle cligne des yeux. Lentement, au début, puis de plus en plus vite.

– Je ne veux pas..., murmure-t-elle.

Ses yeux changent graduellement de couleur. Ils redeviennent normaux, au grand soulagement de Brutal.

– Je ne veux pas voir, poursuit Arielle sur un ton monocorde. Ils veulent me montrer, mais je ne veux pas voir.

Il n'y a plus de grognements qui sortent de sa bouche, mais sa voix a changé ; ce n'est plus la sienne.

– Arielle ! s'écrie Brutal pour la secouer. Arielle, reviens parmi nous !

Elle donne l'impression d'être hypnotisée. L'animalter n'arrive pas à contenir son agitation ; il se sent impuissant et voudrait bien pouvoir briser les barreaux de sa cellule pour porter secours à sa maîtresse.

– Mais qu'est-ce qui lui arrive, bon sang !

– Elle est possédée, dit Razan.

Arielle fixe le vide devant elle, sans faire le moindre mouvement. Soudain, elle baisse la tête et pose un genou par terre. Le médaillon demi-lune s'illumine sur sa poitrine et elle commence à parler, toujours sur le même ton neutre : « Le jour de la Lune noire, les dix-neuf Territoires seront offerts aux sœurs reines. Elles régneront en tyrans, grâce à leurs alliés et aux animalters qui dévoileront leur véritable nature. Vautours, panthères et loups les protégeront de la plèbe humaine. Mais, un jour, des sauveurs libéreront les hommes du joug des tyrans. Le mal sera alors vaincu et la lune fera de nouveau place au soleil. Grâce aux sauveurs, le prince en exil vaincra l'usurpateur et reprendra ses droits sur le royaume. Kalev de Mannaheim reviendra d'exil et régnera de nouveau sur Midgard. Aidé de sa compagne, Lady Arielle, et d'Absalona, Lady de Nordland, aussi appelée la Tueuse de dieux, il rebâtira l'ancien royaume de Markhomer. Dès lors, plus aucun homme ne connaîtra la peur. Plus aucun homme ne connaîtra la faim. Plus aucun homme ne connaîtra la guerre. Paix et amour occuperont de nouveau les cœurs, comme cela était au tout début. »

Le médaillon cesse de briller. Arielle arrête de parler et ferme les yeux. Dès que ses paupières sont closes, elle s'effondre sur le sol.

– Kalev, mon amour, dit-elle de sa voix recouvrée, avant de sombrer dans l'inconscience.

23

Il existe deux chemins pour se rendre au manoir Bombyx.

Tout dépend du choix que l'on fait en arrivant au mont Soleil. Au pied de la montagne, il y a un embranchement qui permet d'emprunter soit la voie de l'est (le chemin Gleason), soit celle de l'ouest (le chemin Chabot). Ce dernier est rarement utilisé par les habitants de Belle-de-Jour ou par les résidants et les employés du manoir. La raison en est simple : en passant par l'ouest, on rallonge son trajet d'une bonne dizaine de kilomètres ; dix kilomètres de courbes et de virages serrés. Rien ne peut justifier un tel détour, à part le désir de rouler incognito jusqu'au manoir Bombyx. Ce soir, c'est bien ce que les cinquante motocyclettes qui défilent sur le chemin Chabot souhaitent faire : s'approcher du manoir Bombyx sans se faire remarquer. Ce ne sera pas difficile, puisque personne ne circule jamais sur ce chemin, à part quelques cueilleurs de framboises l'été, et quelques chasseurs de chevreuils l'automne.

Les motos se suivent de près sur le chemin Chabot. Elles roulent à une vitesse infernale, et le son de leurs moteurs évoque parfois la puissance, parfois l'accélération. Couchés sur le réservoir d'essence, les pilotes fusionnent parfaitement avec leur monture. La plupart des motos sont des modèles sportifs YZF-R1 de Yamaha. Elles sont entièrement noires, et possèdent un moteur à quatre cylindres en ligne et une boîte de vitesses à six rapports. Puissance : 178 chevaux-vapeur à 12 500 tours par minute et une vitesse de pointe de 295 kilomètres à l'heure. Ce sont des bêtes enragées, mais les pilotes semblent les avoir très bien domptées.

Il leur faut une dizaine de minutes pour atteindre le bout du chemin Chabot. Celui-ci se termine par une petite montée qui débouche sur le sommet d'une colline. Cet endroit est surnommé le « Mirador » par les alters. Le Mirador surplombe le lac Croche ainsi que la cour arrière du manoir Bombyx. Normalement, des guetteurs alters sont postés ici en permanence afin de surveiller les territoires avoisinants ; c'est le lieu idéal pour prévenir une attaque venant de l'extérieur. Mais ce soir, étrangement, il n'y a personne.

Les motos forment un rang bien droit au sommet de la colline. Les motocyclistes éteignent leurs phares, mais laissent tourner leurs moteurs. Une moto se détache de la ligne et s'avance vers une pointe rocheuse, la partie la plus élevée de la colline. Le motocycliste dégage la béquille de son engin, et s'assure que ce dernier est bien stable avant de l'abandonner. Comme ceux de presque tous les autres motocyclistes, ses vêtements sont en cuir noir. Excepté ses gants ; curieusement, ceux-ci sont en métal et font contraste avec le reste de son équipement, qui est plutôt de style *racing* : bottes de course, pantalon en *stretch*, blouson de cuir. Le tout est surmonté d'un casque de moto intégral de couleur noire, à la visière teintée. Impossible de discerner les traits du motocycliste derrière la visière.

Le motocycliste s'avance un peu plus loin vers l'extrémité de la pointe. De là, il peut admirer toute l'étendue du lac Croche ainsi qu'une partie du manoir Bombyx et de ses terres. Son regard s'attarde sur l'esplanade, où sont garées des centaines de voitures, puis sur le garage, légèrement en retrait, et enfin sur le bâtiment principal. Lorsqu'il constate qu'une partie du toit a été défoncée et qu'un des murs latéraux s'est complètement effondré, il se dit que les alters et les sylphors n'ont certainement pas chômé.

— Il était temps que nous arrivions, murmure-t-il pour lui-même, derrière sa visière baissée.

C'est à ce moment qu'une seconde moto se détache du rang. Elle n'a rien de commun avec les autres engins, si ce n'est sa couleur : elle est noire, elle aussi. C'est une Harley-Davidson, modèle Night Rod. Elle n'est pas aussi puissante que les autres motos du groupe, mais son allure classique lui confère davantage d'élégance. De l'élégance, le pilote de la Night Rod n'en manque pas non plus. C'est une femme qui dirige cette monture ;

241

une *jeune* femme, en fait, qui est sans casque, et qui possède une chevelure tellement blonde qu'on la dirait presque blanche. Elle immobilise la Harley tout près de la Yamaha appartenant à l'autre motocycliste. Après être descendue de son engin, elle se dirige à son tour vers la pointe. Il n'y a pas que sa moto qui est différente des autres, sa tenue l'est aussi : sous un long manteau brun, elle porte un jean délavé, qui moule ses formes, ainsi qu'une chemise blanche, nouée au nombril. De toute évidence, elle n'est pas incommodée par la température froide de novembre. Il n'a pas encore neigé, mais ça ne devrait pas tarder.

— Alors, on y est ? demande la jeune femme.

L'homme lui indique un chemin de terre situé en contrebas, au pied de la colline. Il mène à une petite clairière bordant une partie du jardin et débouchant à l'arrière des garages.

— C'est par là que nous irons, l'informe le motard qui semble être le leader du groupe.

La femme acquiesce, puis retourne vers sa moto. Son compagnon en fait autant.

— C'est toi qui prends la tête, Bryni ? lance-t-il en enjambant sa Yamaha.

La jeune femme répond par l'affirmative. Elle pose ensuite la main sur le réservoir à essence de sa Harley et le caresse doucement, comme on caresse un animal.

— Allons-y, Jonifax, souffle-t-elle en s'adressant à la moto.

Dès que Bryni prononce ce nom, le moteur de la Harley se met à vrombir, de plus en plus fort. De façon instinctive, la jeune femme s'accroche solidement au guidon de la moto – apparemment, ce n'est pas la première fois que ce phénomène se produit, et elle sait exactement à quoi s'attendre. En l'espace de quelques secondes, les roues et les amortisseurs de la Harley fusionnent, puis s'allongent pour créer deux paires de longues jambes, au bout desquelles apparaissent de gros ongles qui se métamorphosent rapidement en sabots. Moteur et réservoir à essence sont remplacés par le dos et les flancs de ce qui paraît être un grand animal poilu. Le siège se transforme en selle de cuir, pareille à celles que l'on utilise pour monter les chevaux, pendant que l'aileron arrière prend la forme d'une croupe arrondie. En se joignant l'un à l'autre, le phare et l'aileron se muent en une énorme tête de cheval. Bientôt, les grondements du moteur cèdent la place à des hennissements. La Harley-Davidson est devenue un grand étalon élancé, de couleur noire, tandis que la jeune femme est passée de motocycliste à cavalière. C'est non plus le guidon qu'elle tient serré dans ses mains à présent, mais plutôt les rênes en cuir d'une bride.

Dès que sa transformation est terminée, le cheval rue et se cabre : « Enfin libre ! » donne-t-il l'impression de hennir.

– Arrête, Jonifax ! lui ordonne la jeune femme. Tout doux, Jonifax ! Tout doux !

L'étalon finit par retrouver son aplomb. Bryni se penche et lui caresse l'encolure. Ce simple geste suffit à le calmer.

Pendant ce temps, les autres motocyclistes et leur leader ont réenfilé leurs gants de métal et vérifié que leurs armes étaient bien en place. À leurs flancs, par-dessus leur blouson, pendent des gaines en cuir, identiques aux holsters qu'utilisent les policiers en civil pour dissimuler leurs armes sous leur veston. À la différence que ce ne sont pas des calibres 45 ou des pistolets automatiques 9 mm qui se trouvent à l'intérieur des étuis, mais des marteaux mjölnirs.

Bryni revoit le visage de Jason. *Combien de fois as-tu promis qu'un jour, tu me prouverais ton habileté à manier ces marteaux?* songe-t-elle. Bryni se remémore l'intérieur de leur cellule, celle qu'ils ont partagée tous les deux pendant plus de soixante ans dans la fosse nécrophage d'Orfraie. Des souvenirs heureux remontent à la surface, mais aussi de moins heureux. Pour Bryni, cette expérience n'a pas toujours été de tout repos. Elle a dû dépenser beaucoup d'énergie pour conserver à la fois l'esprit et le corps de Jason. Préserver ce jeune homme de la folie et de la vieillesse durant toutes ces années l'a considérablement affaiblie. Elle est moins habile dorénavant, et ses pouvoirs sont moins puissants. Mais elle ne regrette rien; elle donnerait encore sa vie pour le jeune fulgur. Au départ, elle avait accepté de protéger Jason Thorn pour s'acquitter d'une dette, mais, au fil des années, elle est tombée amoureuse du jeune chevalier. Un amour impossible à décrire, tellement il était grand et beau; un amour parfait, sans tache; un amour de Walkyrie.

– Avant de te quitter dans la fosse, déclare Bryni du haut de son cheval, je t'ai dit que je reviendrais avec des amis. Eh bien, je suis revenue, Jason… avec les meilleurs d'entre eux!

Elle fait une pause, puis éperonne doucement les flancs de son cheval:

– ALLEZ! HUE!

Jonifax et elle dévalent à toute allure le versant de la colline, puis bifurquent vers le chemin qui mène à la clairière et ensuite au manoir Bombyx. Derrière eux, les fulgurs s'empressent de rallumer leurs phares. «Notre maître est tonnerre! Nous sommes ses éclairs!» hurlent-ils en chœur. Au signal du leader, les chevaliers font rugir leurs moteurs et lancent leurs montures enragées vers le bas de la colline. Ils s'engagent à fond de train sur le chemin de terre, à la suite de la Walkyrie. Du haut des airs, leur groupe ressemble à une unité de cavalerie. Ne manque que les clairons pour sonner la charge.

ARIELLE QUEEN

En librairie

La production du titre *Arielle Queen, La riposte des elfes noirs* sur 11,817 lb de papier Rolland Enviro100 Édition plutôt que sur du papier vierge aide l'environnement des façons suivantes :

Arbres sauvés : 100
Évite la production de déchets solides de 2 895 kg
Réduit la quantité d'eau utilisée de 273 871 L
Réduit les matières en suspension dans l'eau de 18,3 kg
Réduit les émissions atmosphériques de 6 358 kg
Réduit la consommation de gaz naturel de 414 m^3

Transcontinental
IMPRESSION
IMPRIMERIE GAGNÉ

Imprimé sur du Rolland Enviro100, contenant 100% de fibres recyclées postconsommation, certifié Éco-Logo, Procédé sans chlore, FSC Recyclé et fabriqué à partir d'énergie biogaz.